백년 뇌를 위한

재미있는 두뇌 운동

그림 놀이
초급편

이은아 박사의
치매 예방 활동북 ❶

백년 뇌를 위한 재미있는 두뇌 운동

이은아 지음

그림 놀이
초급편

이덴슬리벨

프롤로그

지난 20여 년간 진료실에서 다양한 원인으로 뇌기능이 저하된 치매 환자들의 사연을 만날 때마다, 마치 동상(冬傷)에 걸린 새끼발가락처럼 마음이 얼얼해지곤 했습니다. 신경과 의사로서 제가 할 수 있는 모든 방법을 동원해 치매 환자의 뇌기능을 회복하고, 잃어버린 삶을 다시 찾을 수 있도록 돕고 싶었습니다.

눈이 부시도록 화려하게 피어났던 꽃잎이 시들시들 지는 것처럼, 뇌세포가 쪼그라들어 기억력이 약해지고, 단어가 잘 안 떠오르고, 계산이 안 되고, 늘 익숙하게 다니던 길이 낯설게 느껴지는 치매 환자들의 뇌기능을 어떻게 하면 좋아지게 만들 수 있을까? 치매 환자들의 뇌를 흔들어 깨우기 위해 끊임없이 다양한 방법을 구하고 찾고, 문을 두드렸습니다. 그리고 치매에 숨겨진 놀라운 비밀들을《이은아 박사의 치매를 부탁해》라는 책에 담았습니다.

우리는 지금 백 년의 삶을 누릴 수 있는 시대에 살고 있습니다. 건강하게 백 년을 사는 것은 큰 축복이지만, 나이가 들어감에 따라 누구나 치매에 걸릴 수도 있습니다.

치매의 비밀 중 하나는, 치매를 예방하기 위해 너무 이른 때도, 너무 늦은 때도 없다는 것입니다. 백 년 동안 치매에 걸리지 않는 뇌를 간직하기 위해서는 미리미리 뇌를 꾸준히 자극하고 활발하게 뇌세포 운동을 해야 합니다.

이 책은 사계절 아름다운 꽃을 통해 치매를 예방하는 뇌운동 활동북입니다. 치매를 예방하고 싶은 사람뿐 아니라, 아직 치매로 진행되지 않은 경도 인지장애 환자분들의 뇌기능을 회복시키기 위해 꼭 필요한 활동을 모두 담았습니다.

그림을 그리고, 숫자와 글자 잇기를 하고, 시를 암송하고 글도 써 보고, 가족사진을 꺼내어 이야기하는 시간을 통해 꾸준히 기억 훈련하는 생활 습관을 가져 보십시오. 그러면 여러분들의 뇌 안에서 잠자고 있던 뇌세포가 봄꽃처럼 다시 활짝 기지개를 켜고 피어날 것입니다.

우리 뇌는 정말 신비해서 치매에 걸린다고 한꺼번에 모든 뇌세포가 죽는 것은 아닙니다. 치매로 이미 진단을 받았다 할지라도, 뇌에는 죽은 세포와 죽어가는 세포가 있고, 아직 죽지 않고 건강한 뇌세포가 있습니다. 뇌 안에 조금 손상된 뇌세포가 있어도, 나머지 뇌세포들을 지속적으로 훈련해서 뇌기능을 높여 주면, 손상된 뇌세포의 기능을 대신할 수 있습니다. 또 청년기와 중년기에 뇌세포를 꾸준히 자극하고 활용해서 뇌의 예비 용량을 늘려 놓으면, 치매에 내성이 강한 뇌를 유지할 수 있고, 심지어 치매에 걸려도 건강하게 지낼 수 있습니다. 치매를 예방하기 위해서는 여러분이 생각하는 것보다 조금 더 일찍 뇌기능을 훈련하는 습관을 갖는 것이 중요합니다.

온 가족이 함께 뇌 훈련 과정에 즐겁게 참여할 때 치매 예방에 훨씬 효과가 좋습니다. 할머니, 할아버지, 어머니, 아버지, 손주, 손녀, 가족이 모두 모여 미리미리 치매 예방을 위한 뇌 운동 활동을 하면 좋습니다. 이 활동북을 통해, 여러분이 백 년 동안 건강한 뇌, 치매에서 자유로운 뇌를 가질 수 있기를 기대합니다.

끝으로 이 책이 출판될 수 있도록, 긴 시간 동안 기도와 사랑으로 옆에서 용기를 주고 지지해 준 남편 이준성 님, 딸 이지선 양, 아들 이승엽 군, 이은미 언니와 부모님, 소중한 나의 가족에게 감사합니다. 그리고 치매 환자들을 함께 돌보며 '삶을 치료하는 해븐리병원'의 비전을 이루어 나가는 나의 소중한 동역자들, 조문경, 이미애 부장, 조강숙 팀장을 비롯한 모든 직원들과 해븐리 두뇌연구소 직원들, 그리고 박윤환 목사님께 진심으로 감사드립니다.

제가 많은 임상 경험을 할 수 있도록, 실전에서 가르침을 주신 치매 환자들과 가족들께도 깊은 감사를 드립니다. 여러분과의 만남이, 여러분을 진료하는 시간이 제게는 더할 수 없이 기쁘고 감사한 시간이었음을 고백합니다.

신경과 전문의

신경과학 의학박사 이은아

추천사

100세 시대에 사람들이 암보다 더 두려워하는 병이 바로 치매입니다. 치매는 치료되지 않는 병이라고 생각하기 때문입니다. 이러한 잘못된 고정관념에 도전하며 20여 년간 진료와 연구, 제도 마련에 헌신해 온 이은아 박사를 오랫동안 지켜보았습니다. 환자에 대한 애틋한 사랑, 치료에 대한 열정, 그리고 수많은 경험을 녹여 만든 이 책은 온 가족이 함께 활용할 수 있는 패밀리 워크북이라는 점이 독특합니다. 가족이 함께 아름다운 꽃을 그리며, 두런두런 옛이야기도 하고, 퍼즐을 맞추고, 가족사진 붙이기도 하면서 가족 사랑을 회복할 수 있을 거라 확신합니다. 어린 손자와 손녀가 할머니 할아버지와 함께 활동북을 하는 화목한 가족의 모습을 상상해 봅니다.

_ 손기철 (헤븐리터치 미니스트리 대표, 건국대학교 명예교수)

건강한 몸을 유지하며 오래 살아가는 것은 모두의 꿈일 것입니다. 그것보다 더 중요한 것은 몸뿐만 아니라 마음까지 건강하게 오래 사는 것입니다. 이 책은 오랜 기간 동안 임상에서 환자를 진료한 생생한 경험과 전문 의학적 지식, 그리고 창의적인 진료를 하기로 소문난 해븐리 병원의 노하우가 고스란히 담겨 있습니다. 두뇌 자극에 필요한 활동을 놀이처럼 재미있게 하다 보면 어느새 기억력이 향상되어 있음을 느낄 수 있을 것입니다. 이 책이 가족이 소통하는 도구로, 뇌를 건강하게 회복시켜주는 도구로 활용될 수 있기를 바랍니다.

_ 한설희 (건국대학교병원 신경과 교수)

누구나 치매만은 피하고 싶다고 말합니다. 정부도 한때 치매와 전쟁을 선포한 적 있지요. 의사도 치매 어르신을 진료하는 것이 힘들다고 기피하는 게 현실입니다. 그러나 이은아 선생님은 치매 치료를 향한 도전을 멈추지 않았습니다. 환자의 입장에서 쉽고 재미있게 쓰이기를 바라는 마음으로 만든 이은아 선생님의 친절한 마음이 느껴집니다.

_ 박건우 (고려대학교병원 뇌신경센터장, 치매학회 이사장)

이 책은 100세 시대를 사는 요즘, 치매의 최고 전문가인 이은아 원장이 현장에서 경험하고 연구해 온 바를 대중에게 꼭 필요한 것만 골라 만든 책입니다. 치매에 걸린 한자뿐만 아니라 치매를 걱정하는 사람, 예방하기를 원하는 사람들도 쉽고 재미있게 참여해 볼 수 있습니다.

_ 김승현 (한양대학교병원 신경과 교수, 국가 치매 정책위원)

이은아 선생님이 그동안 환자를 진료하면서 보여 주었던 것처럼, 환자에 대한 애정과 가족에 대한 배려가 듬뿍 묻어 있는 책입니다. 고령화 시대에 꼭 필요하고, 치매 예방에 큰 도움이 될 것이라 생각합니다.

_ 심영목 (삼성서울병원 교수, 성균관대학교 의과대학 석좌교수)

이은아 원장님은 지난 22년 동안 진료실과 정책 현장에서 치매 환자를 위해 살아온 분입니다. 많은 분들이 원장님의 경험을 공유하여 치매에 대한 부정적인 선입견을 떨치고 뇌를 건강하게 지킬 수 있는 도구로 이 책이 사용되기를 기원합니다.

_ 고임석 (중앙치매센터 센터장, 국립중앙의료원 진료부원장)

2019년 봄, 남의 일이라고 생각했던 일이 내게도 찾아왔습니다. 아버지의 치매 진단으로 인해 만난 이은아 선생님은 환자를 진심으로 대하는 '의사의 자세'와 '자녀의 관심과 사랑'이 치료에 꼭 필요하다는 것을 알려 주셨습니다. 덕분에 1년이 지난 지금, 아버지는 증상이 많이 호전되어 일상생활이 가능하게 되었습니다. 다시 아버지와 순간순간을 기억하고 함께 웃을 수 있어 정말 감사합니다. 치매가 남의 일이라 생각하기보다 언젠가는 내게도 찾아올 수 있다는 마음으로 이 책을 활용하고 참여할 수 있으면 좋겠습니다.

_ 박휘순 (개그맨)

이 책의 활용법

1 《백년 뇌를 위한 재미있는 두뇌 운동-초급편》은 할머니, 할아버지, 어머니, 아버지, 손자, 손녀 등 온 가족이 함께하면 효과가 더 좋습니다.

2 우리나라의 아름다운 사계절의 꽃으로 책을 구성했습니다. 이를 통해 계절에 대한 지남력(시간과 장소 등을 올바로 인식하는 능력)을 기르는 연상 훈련을 해 봅니다.

3 먼저 그림을 시작하는 날짜와 요일을 기입해 봅시다. 지남력을 매일 훈련하는 것이 중요합니다.

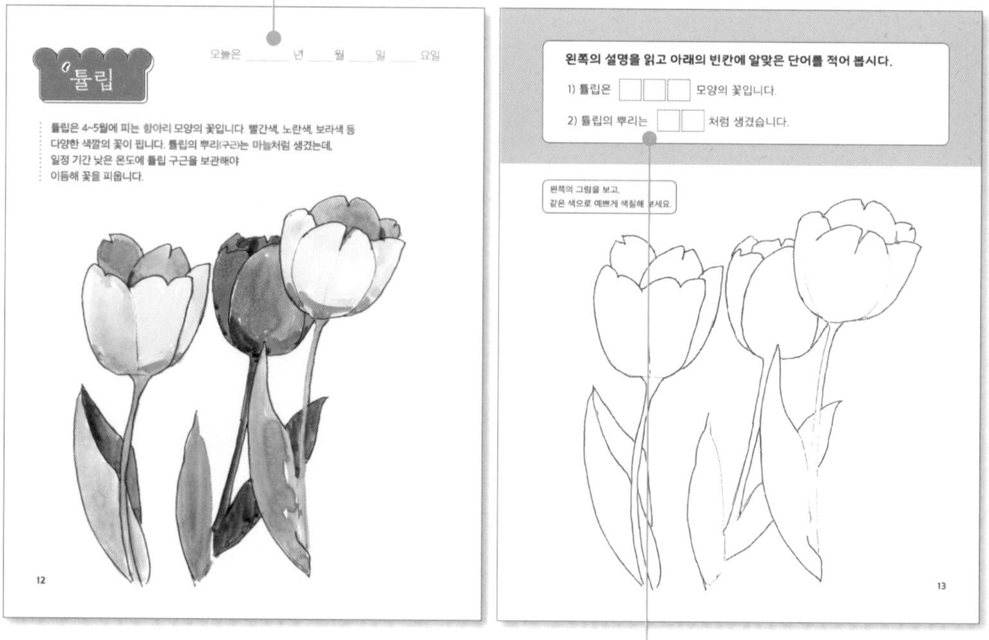

4 좌측 꽃 그림을 보고, 우측 밑그림에 좌측 그림과 같은 색을 칠해 봅니다. 그림을 색칠한 후 네모 박스의 빈칸에 답을 적어 넣습니다. 정답은 좌측 그림 설명문에서 찾을 수 있습니다.

5 그림을 눈으로 보고 인지하여 같은 색깔을 찾아 색칠하는 작업은 뇌의 후두엽과 두정엽, 전두엽을 자극합니다.

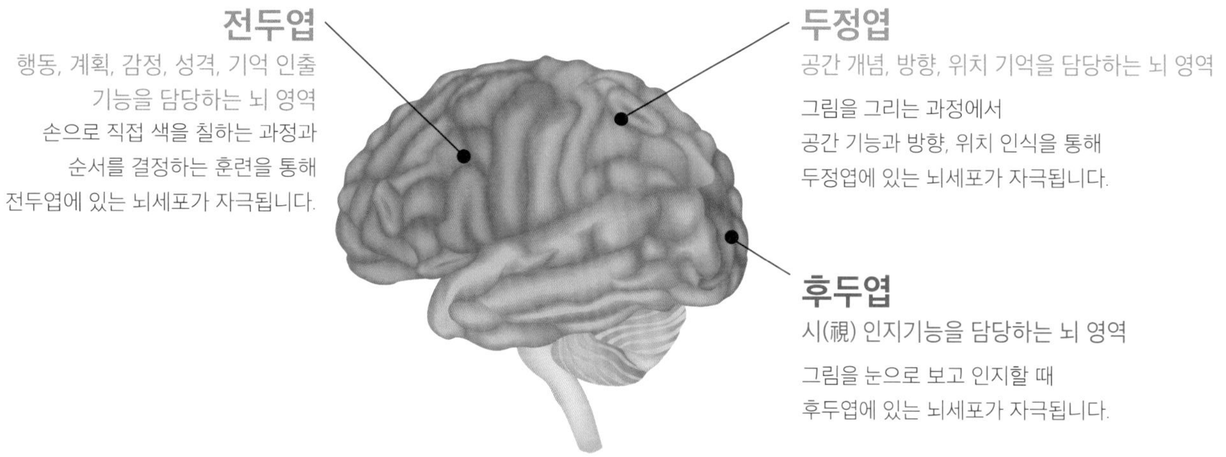

6 다음 페이지는 꽃의 일부분을 다시 색칠하며 꽃의 이름을 기억해 네모 박스 안, 흐린 글씨의 꽃이름을 다시 따라서 쓰는 연습을 합니다. 또 꽃잎에 적힌 숫자나 문자를 순서대로 연결할 때 소리 내어 읽으면서 그리면 두뇌 자극에 도움이 됩니다.

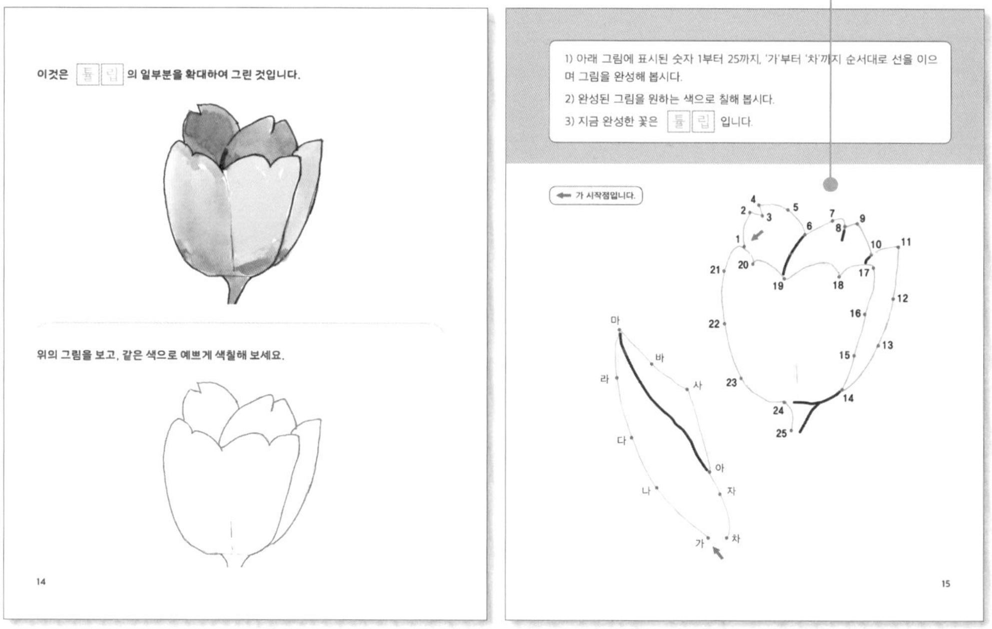

7 기억력 다지기 페이지에서는 앞에서 그린 꽃 색깔을 기억하여 꽃 이름을 찾아내는 **'색깔-글자 짝짓기 훈련(Matching Practice)'**을 통해, 기억력을 담당하는 측두엽과 수행 능력을 담당하는 전두엽을 자극합니다.

8 생각 이어 가기, 치매 예방을 위한 뇌운동 페이지에서는 꽃과 관련된 시 암송 및 글짓기, 노래하기, 추억을 나눌 수 있는 가족사진 붙이기 등의 활동을 가족과 함께 즐겨 보세요. 《백년 뇌를 위한 재미있는 두뇌 운동》은 치매 예방과 함께 가족의 소중한 기록집이 될 것입니다.

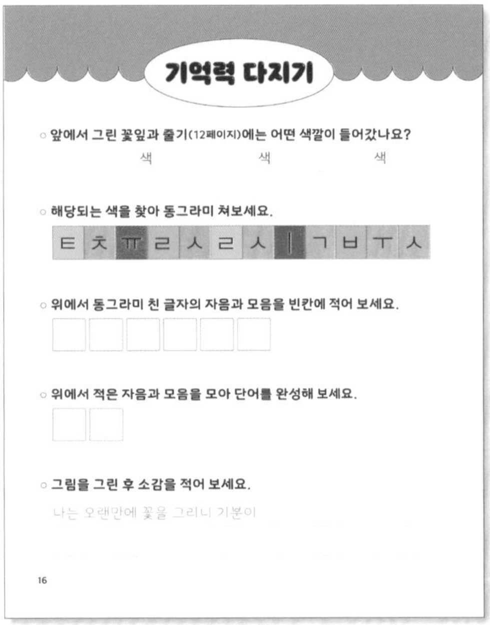
기억력 다지기

○ 앞에서 그린 꽃잎과 줄기(12페이지)에는 어떤 색깔이 들어갔나요?

색 색 색

○ 해당되는 색을 찾아 동그라미 쳐보세요.

ㅌ	ㅊ	ㅠ	ㄹ	ㅅ	ㄹ	ㅅ	ㅣ	ㄱ	ㅂ	ㅜ	ㅅ

○ 위에서 동그라미 친 글자의 자음과 모음을 빈칸에 적어 보세요.

○ 위에서 적은 자음과 모음을 모아 단어를 완성해 보세요.

○ 그림을 그린 후 소감을 적어 보세요.

나는 오랜만에 꽃을 그리니 기분이

16

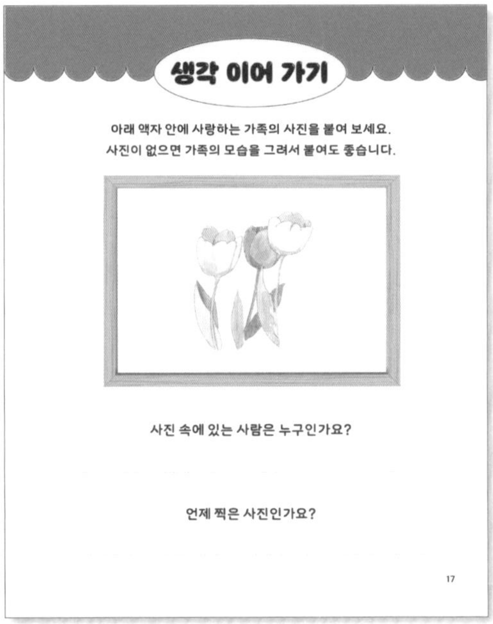
생각 이어 가기

아래 액자 안에 사랑하는 가족의 사진을 붙여 보세요.
사진이 없으면 가족의 모습을 그려서 붙여도 좋습니다.

사진 속에 있는 사람은 누구인가요?

언제 찍은 사진인가요?

17

9 《백년 뇌를 위한 재미있는 두뇌 운동-초급편》을 마치시면 중급편에 도전해 보세요. 한 단계 높은 재미와 성취감을 느낄 수 있습니다.

목차

봄꽃

여름꽃

가을, 겨울꽃

오늘은 ________ 년 _____ 월 _____ 일 _____ 요일

튤립

튤립은 4~5월에 피는 **항아리** 모양의 꽃입니다. 빨간색, 노란색, 보라색 등 다양한 색깔의 꽃이 핍니다. 튤립의 뿌리(구근)는 **마늘**처럼 생겼는데, 일정 기간 낮은 온도에 튤립 구근을 보관해야 이듬해 꽃을 피웁니다.

왼쪽의 설명을 읽고 아래의 빈칸에 알맞은 단어를 적어 봅시다.

1) 튤립은 [ ][ ][ ] 모양의 꽃입니다.

2) 튤립의 뿌리는 [ ][ ] 처럼 생겼습니다.

왼쪽의 그림을 보고,
같은 색으로 예쁘게 색칠해 보세요.

이것은 튤 립 의 일부분을 확대하여 그린 것입니다.

위의 그림을 보고, 같은 색으로 예쁘게 색칠해 보세요.

1) 아래 그림에 표시된 숫자 1부터 25까지, '가'부터 '차'까지 순서대로 선을 이으며 그림을 완성해 봅시다.

2) 완성된 그림을 원하는 색으로 칠해 봅시다.

3) 지금 완성한 꽃은 튤 립 입니다.

← 가 시작점입니다.

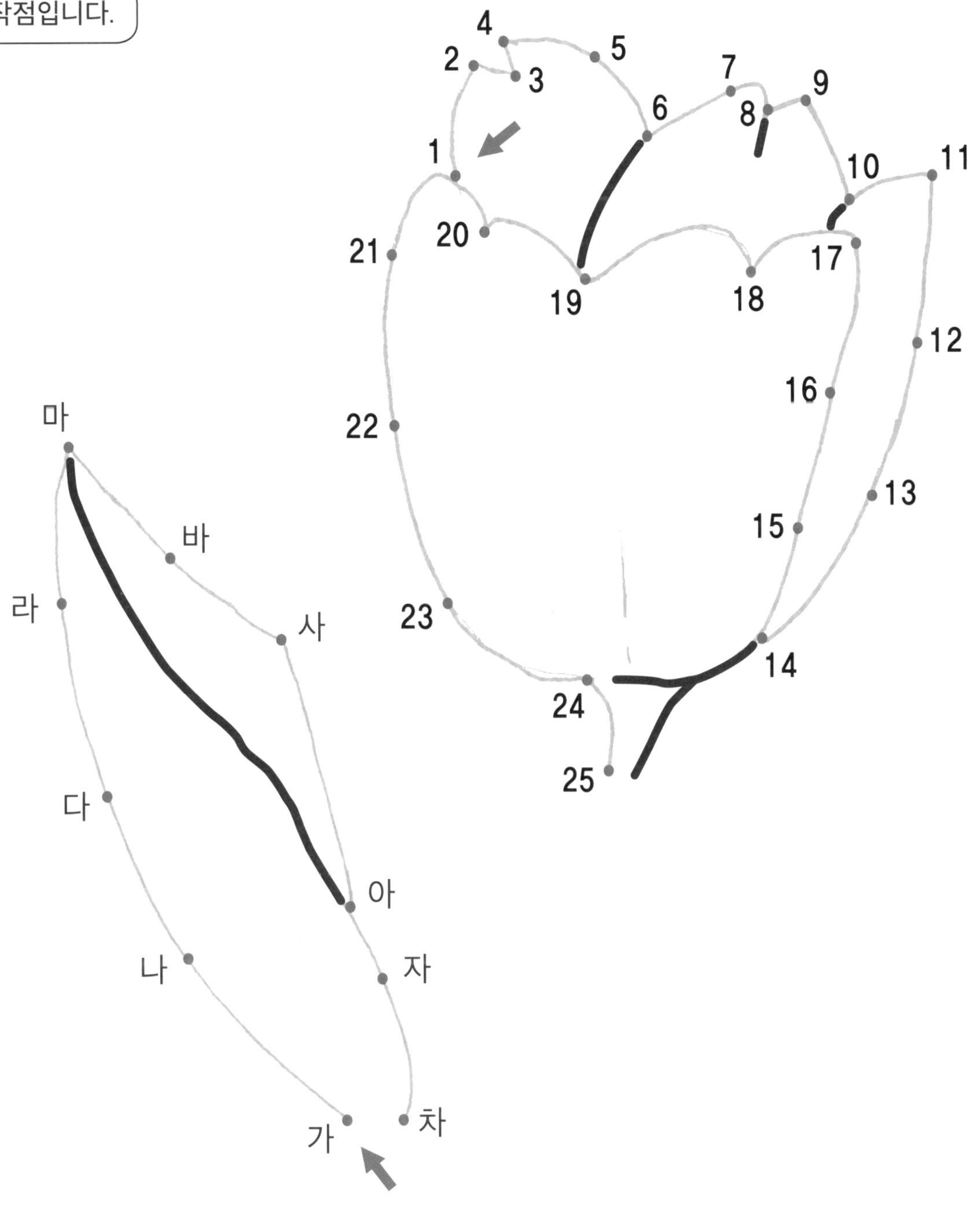

기억력 다지기

○ 앞에서 그린 꽃잎과 줄기(12페이지)에는 어떤 색깔이 들어갔나요?

색 색 색

○ 해당되는 색을 찾아 동그라미 쳐보세요.

ㅌ	ㅊ	ㅠ	ㄹ	ㅅ	ㄹ	ㅅ	ㅣ	ㄱ	ㅂ	ㅜ	ㅅ

○ 위에서 동그라미 친 글자의 자음과 모음을 빈칸에 적어 보세요.

○ 위에서 적은 자음과 모음을 모아 단어를 완성해 보세요.

○ 그림을 그린 후 소감을 적어 보세요.

나는 오랜만에 꽃을 그리니 기분이

생각 이어 가기

아래 액자 안에 사랑하는 가족의 사진을 붙여 보세요.
사진이 없으면 가족의 모습을 그려서 붙여도 좋습니다.

사진 속에 있는 사람은 누구인가요?

언제 찍은 사진인가요?

오늘은 ________ 년 ____ 월 ____ 일 ____ 요일

진달래

진달래는 우리나라의 대표적인 **봄꽃**입니다.
3월경 피기 시작하는 진달래는 잎이 나기 전에 꽃이 먼저 피며,
산에서 무리지어 자랍니다. 진달래꽃은 먹을 수 있어서 예부터
화전(花煎)을 만들어 먹었습니다.

왼쪽의 설명을 읽고 아래의 빈칸에 알맞은 단어를 적어 봅시다.

1) 진달래는 대표적인 ☐☐ 입니다.

2) 진달래꽃은 먹을 수 있어서 ☐☐ 을 만들어 먹었습니다

왼쪽의 그림을 보고,
같은 색으로 예쁘게 색칠해 보세요.

이것은 진 달 래 의 일부분을 확대하여 그린 것입니다.

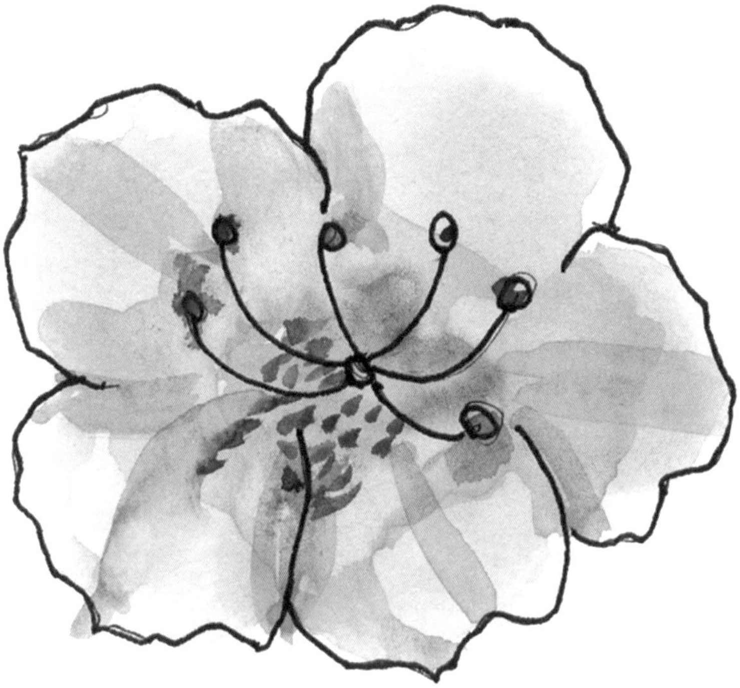

위의 그림을 보고, 같은 색으로 예쁘게 색칠해 보세요.

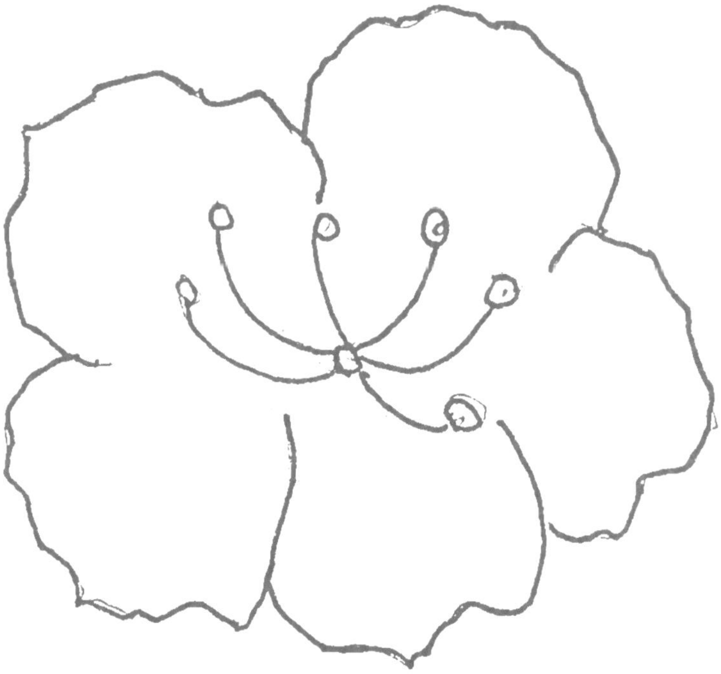

1) 아래 그림에 표시된 숫자의 시작점부터 순서대로 선을 이어 가면서 그림을 완성해 봅시다.

2) 완성된 그림을 원하는 색으로 칠해 봅시다.

3) 지금 완성한 꽃은 | 진 | 달 | 래 | 입니다.

← 가 시작점입니다.

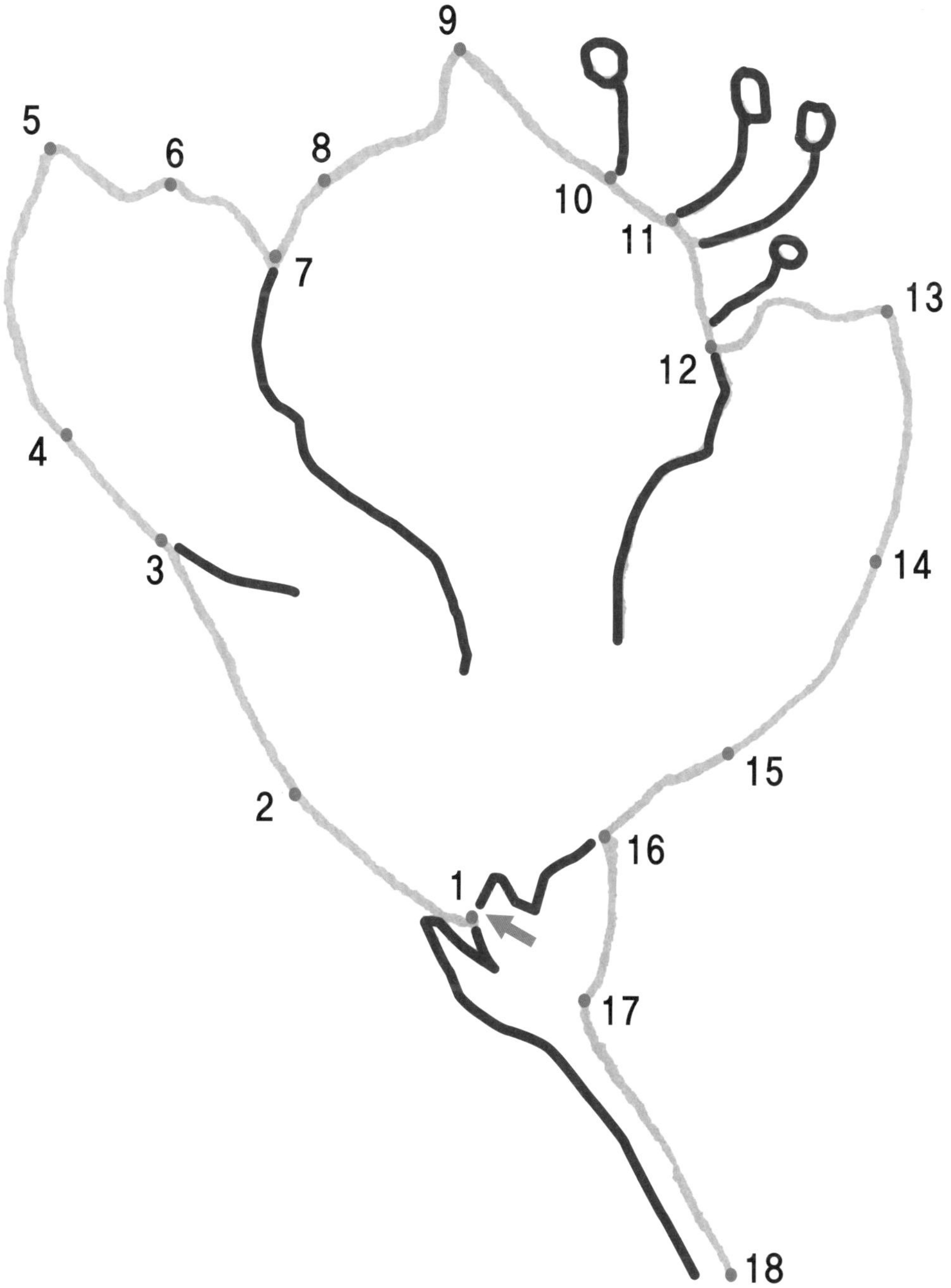

기억력 다지기

○ 앞에서 그린 꽃잎과 줄기(18페이지)에는 어떤 색깔이 들어갔나요?

.... 색 .... 색

○ 해당되는 색을 찾아 동그라미 쳐보세요.

ㅈ	ㅇ	ㅣ	ㄴ	ㅗ	ㄷ	ㅏ	ㅈ	ㄹ	ㅠ	ㄹ	ㅐ

○ 위에서 동그라미 친 색 안에 적힌 자음과 모음을 빈칸에 적어 보세요.

○ 위에서 적은 자음과 모음을 모아 단어를 완성해 보세요.

○ 진달래는 봄에 피는 꽃입니다. 진달래와 같은 계절에 피는 꽃을 5개 이상 적어 봅시다.

생각 이어 가기

아래의 시를 큰 소리로 낭독해 봅시다.
가장 마음에 드는 시구를 골라 밑줄을 그어보고, 암송해 봅시다.

진달래꽃

김소월

나 보기가 역겨워 가실 때에는
말없이 고이 보내 드리오리다.
영변(寧邊)에 약산(藥山) 진달래꽃,
아름 따다 가실 길에 뿌리오리다.
가시는 걸음 걸음 놓인 그 꽃을
사뿐히 즈려밟고 가시옵소서

오늘은 ________ 년 _____ 월 _____ 일 _____ 요일

철쭉

철쭉은 5월에 피는 **연분홍**색, **흰**색 꽃입니다.
생김새는 **진달래**와 비슷하지만, 잎이 먼저 난 후 꽃이 피는 것이 진달래와 다른 점입니다.
또, 진달래는 먹을 수 있는 꽃이지만 철쭉은 약재로 사용합니다.

왼쪽의 설명을 읽고 아래의 빈칸에 알맞은 단어를 적어 봅시다.

1) 철쭉은 5월에 피는 꽃으로 ☐☐☐ 색, ☐ 색 꽃이 핍니다.

2) 철쭉의 생김새는 ☐☐☐ 와 비슷합니다.

왼쪽의 그림을 보고,
같은 색으로 예쁘게 색칠해 보세요.

이것은 철 쭉 의 일부분을 확대하여 그린 것입니다.

위의 그림을 보고, 같은 색으로 예쁘게 색칠해 보세요.

1) 아래 그림에 표시된 숫자의 시작점부터 순서대로 선을 이어 가면서 그림을 완성해 봅시다.

2) 안성된 그림을 원하는 색으로 칠해 봅시다.

3) 지금 완성한 꽃은 철 쭉 입니다.

← 가 시작점입니다.

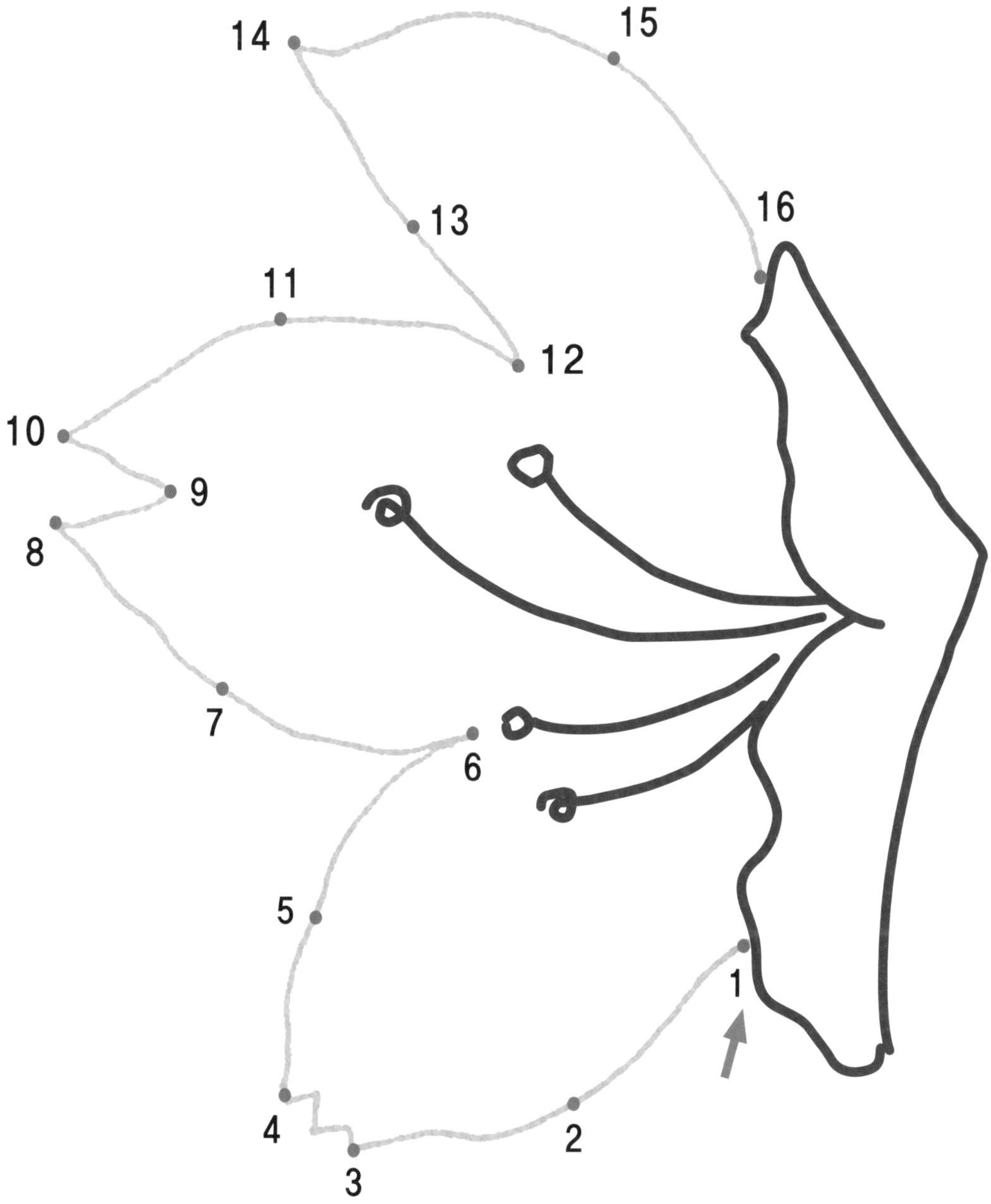

기억력 다지기

○ 앞에서 그린 꽃잎과 줄기(24페이지)에는 어떤 색깔이 들어갔나요?

색 색

○ 해당되는 색을 찾아 동그라미 쳐보세요.

ㅊ	ㅈ	ㅓ	ㄹ	ㅗ	ㅉ	ㅇ	ㅜ	ㅎ	ㄱ

○ 위에서 동그라미 친 색 안에 적힌 자음과 모음을 빈칸에 적어 보세요.

○ 위에서 적은 자음과 모음을 모아 단어를 완성해 보세요.

○ 철쭉과 비슷한 색깔의 꽃을 3개 이상 적어 봅시다.

치매 예방을 위한 생활의 지혜

1. 매일 아침 하루를 시작하기 전에 달력을 이용하여 날짜와 요일을 꼭 확인해 보세요!

예) 어르신 방에 글씨가 큰 달력을 비치해 놓습니다.
가볍게 아침 인사를 하신 후, 기분 상태를 묻고,
"오늘이 몇 월 며칠이죠?" 하고 물어 보세요.
어르신이 잘 기억하셨을 땐 "정확히 기억하셨네요."라고
칭찬을 해 주시고, 오늘 날짜에 색 스티커로 표시하며
다시 한 번 오늘 날짜와 요일에 대해 인식하도록 할 수 있습니다.

2. 운동을 규칙적으로 하세요.

가족들이 돌아가면서 어르신과 가벼운 산책, 스트레칭을 해 보세요.
운동할 때 어르신이 평소 좋아하던 음악을 틀어 놓고 하면
더욱 효과적입니다.

3. 집안일을 함께 하세요.

"어머니 콩 좀 골라 주세요.", "빨래 좀 개어 주세요."
"콩나물 좀 다듬어 주세요.", "화분에 물 좀 주세요." 등 간단한
집안일에 어르신을 참여시키세요. 다 하시면 "어머니가 해 주시니까
정말 좋네요."라고 칭찬을 많이 해 드립니다.

오늘은 ________ 년 _____ 월 _____ 일 _____ 요일

작약

작약은 꽃이 크고 **함지박**처럼 넉넉하다고 하여 함박꽃이라고도 불립니다.
향기가 강하며, 5~6월에 **빨간**색, **흰**색, **분홍**색의 꽃이 핍니다.

왼쪽의 설명을 읽고 아래의 빈칸에 알맞은 단어를 적어 봅시다.

1) 작약은 ☐☐☐ 처럼 넉넉하다고 하여 함박꽃이라고도 불립니다.

2) 작약은 ☐☐ 색, ☐ 색, ☐☐ 색의 꽃이 핍니다.

왼쪽의 그림을 보고,
같은 색으로 예쁘게 색칠해 보세요.

이것은 작 약 의 일부분을 확대하여 그린 것입니다.

위의 그림을 보고, 같은 색으로 예쁘게 색칠해 보세요.

1) 아래 그림에 표시된 숫자의 시작점부터 순서대로 선을 이어 가면서 그림을 완성해 봅시다.

2) 완성된 그림을 원하는 색으로 칠해 봅시다.

3) 지금 완성한 꽃은 | 작 | 약 | 입니다.

← 가 시작점입니다.

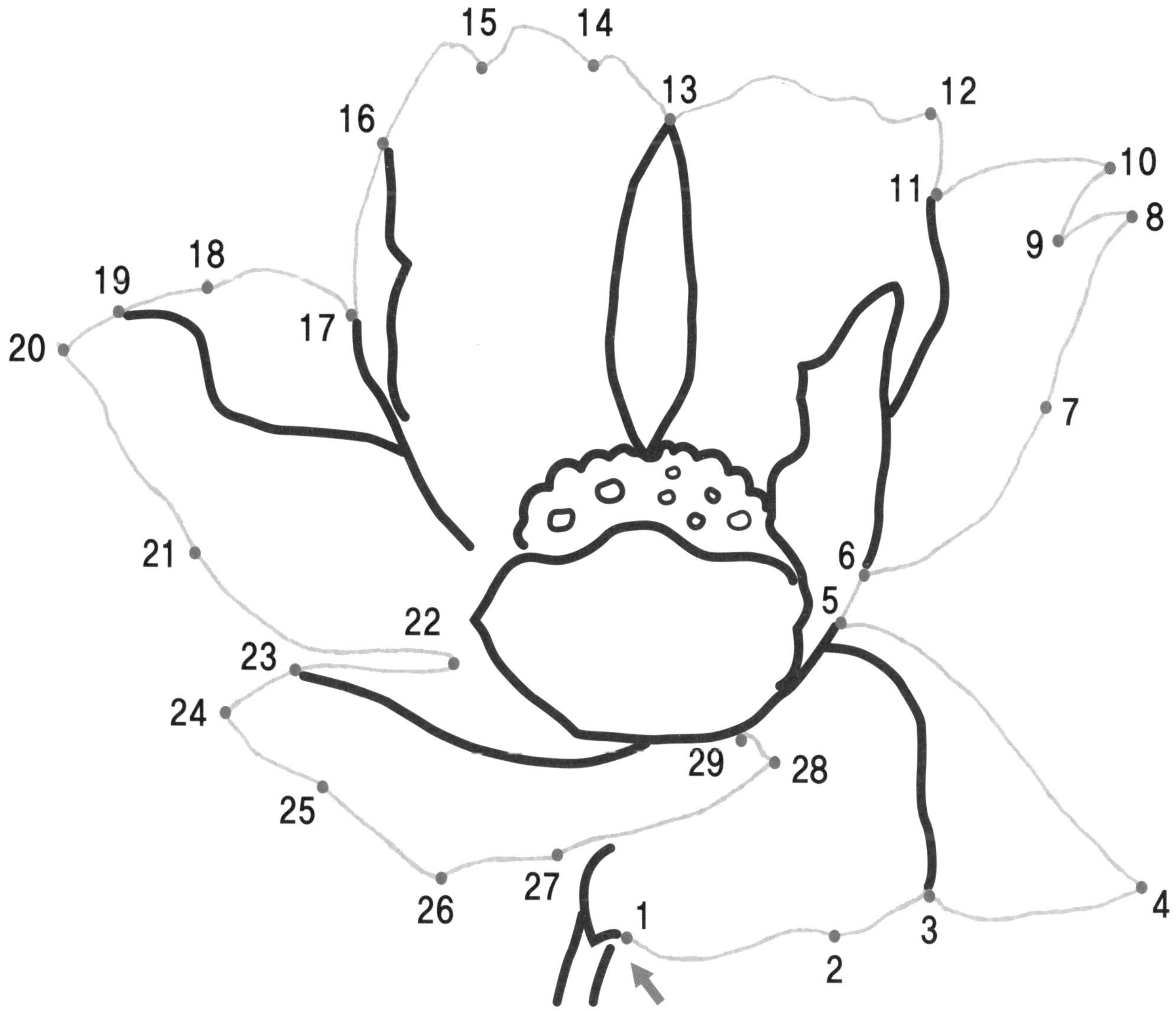

기억력 다지기

○ 앞에서 그린 꽃잎과 줄기(30페이지)에는 어떤 색깔이 들어갔나요?

색 색 색

○ 해당되는 색을 찾아 동그라미 쳐보세요.

ㅈ	ㅏ	ㅡ	ㄱ	ㅂ	ㅇ	ㅅ	ㅑ	ㄱ	ㅎ

○ 위에서 동그라미 친 색 안에 적힌 자음과 모음을 빈칸에 적어 보세요.

○ 위에서 적은 자음과 모음을 모아 단어를 완성해 보세요.

○ 꽃잎이 붉은 꽃을 3개 이상 적어 봅시다.

치매 예방을 위한 식물 키우기

1

집에서 쉽게 구할 수 있는 화분 또는 스티로폼 상자를 준비합니다.

2

화분 맨 아래 부분에는 물이 잘 빠져나갈 수 있도록 입자가 굵은 마사토를 한 컵 정도 넣고, 그 위에 배양토를 넣습니다.

3

평소에 관심 있거나 궁금했던 꽃, 채소 씨앗이나 모종을 심습니다.

4

식물을 심은 위치를 확인하고, 식물의 이름과 심은 날짜를 이름표에 적어 표시합니다.

예) 방울토마토- 2021년 5월 3일

5

가족과 함께 키우는 식물에 재미있는 별명을 지어서 불러 봅니다.

예) 해바라기는 '해롱이', 쪽파는 '새침이'

6

수첩에 식물이 성장하는 과정을 기록해 봅니다.

예) 형식이나 내용에 구애받지 않고, 화단에서 일어나는 식물의 변화(색, 모양, 향기 등)를 보고 느낀 대로 적어 봅니다.

효과 화단을 만들어서 매일 날짜를 기록하고, 변화를 관찰한 뒤 글로 적으면 뇌세포가 골고루 자극되어 뇌기능이 좋아집니다. 특히 식물이나 화분의 위치를 눈으로 보고 확인하면서 후두엽과 두정엽의 기능이 좋아지는 효과가 있습니다.

오늘은 ________ 년 _____ 월 _____ 일 _____ 요일

도라지꽃

도라지꽃은 7~8월에 피는 하얀색, 파란색 꽃입니다.
꽃봉오리가 **풍선**처럼 부풀었다가 다섯 길래의 꽃잎으로 갈리집니다.
도라지꽃의 뿌리는 우리가 잘 알고 있는 도라지로, **나물**이나 **무침**을 해 먹고
기침이나 편도염에 생약으로 사용됩니다.

왼쪽의 설명을 읽고 아래의 빈칸에 알맞은 단어를 적어 봅시다.

1) 도라지꽃은 꽃봉오리가 ☐☐ 처럼 부풀었다가 다섯 갈래 꽃잎으로 갈라집니다.

2) 도라지로 ☐☐ 이나 ☐☐ 을 해 먹습니다.

왼쪽의 그림을 보고,
같은 색으로 예쁘게 색칠해 보세요.

이것은 도 라 지 꽃 의 일부분을 확대하여 그린 것입니다.

위의 그림을 보고, 같은 색으로 예쁘게 색칠해 보세요.

1) 아래 그림에 표시된 숫자의 시작점부터 순서대로 선을 이어 가면서 그림을 완성해 봅시다.

2) 완성된 그림을 원하는 색으로 칠해 봅시다.

3) 지금 완성한 꽃은 | 도 | 라 | 지 | 꽃 | 입니다.

← 가 시작점입니다.

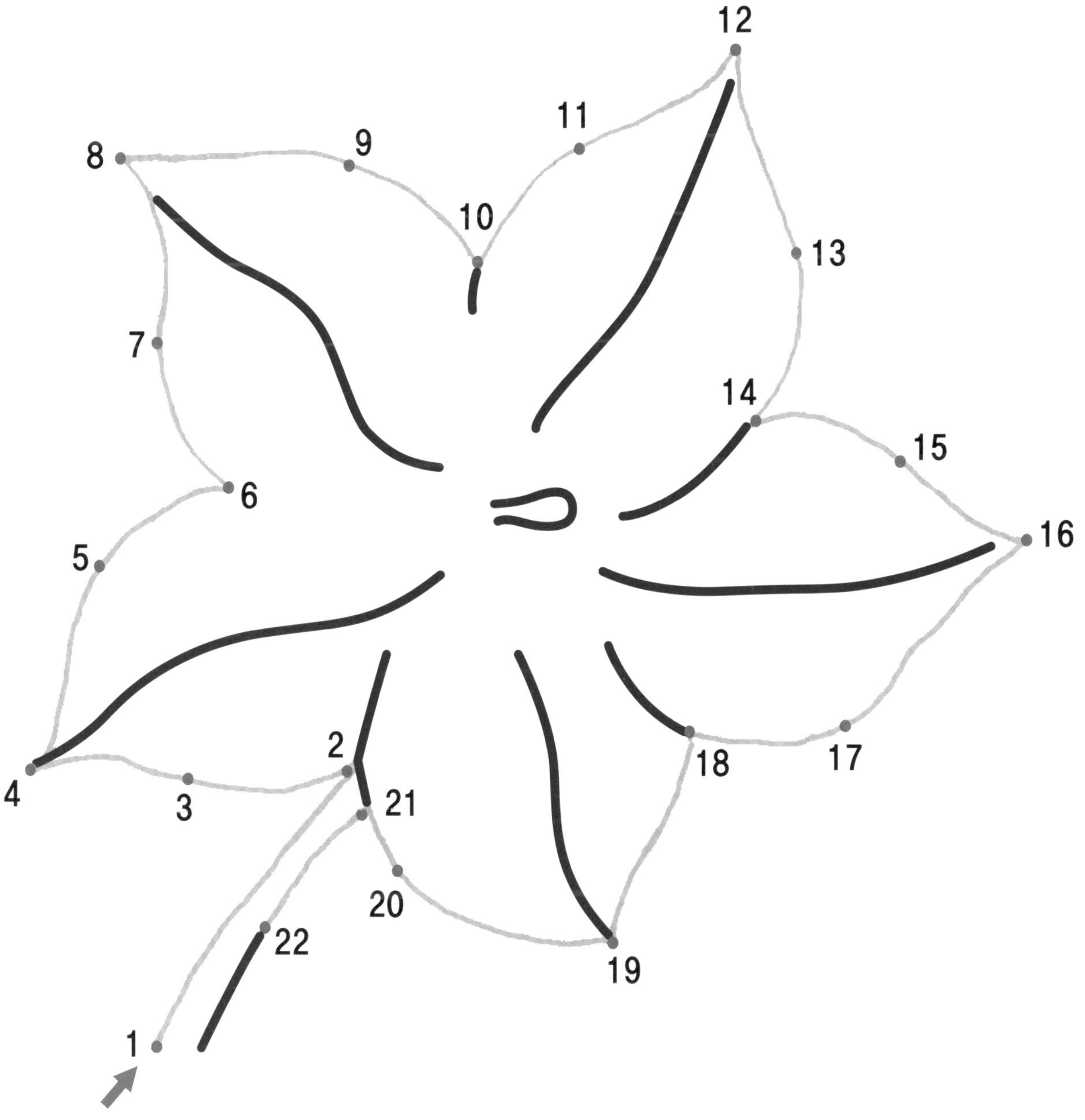

기억력 다지기

○ 앞에서 그린 꽃잎과 줄기(36페이지)에는 어떤 색깔이 들어갔나요?

색　　　　색　　　　색

○ 해당되는 색을 찾아 동그라미 쳐보세요.

ㄷ	ㅇ	ㅗ	ㄹ	ㅇ	ㅏ	ㅂ	ㅈ	ㅣ	ㄲ	ㅗ	ㅊ

○ 위에서 동그라미 친 색 안에 적힌 자음과 모음을 빈칸에 적어 보세요.

○ 위에서 적은 자음과 모음을 모아 단어를 완성해 보세요.

○ 도라지 뿌리로 음식 만드는 방법을 간단히 적어 주세요.

생각 이어 가기

도라지 타령을 부르며 두뇌 체조를 해 봅시다.
양손으로 무릎 1번 치고, 손뼉 2번 치고를 반복해 보세요.

두뇌 체조

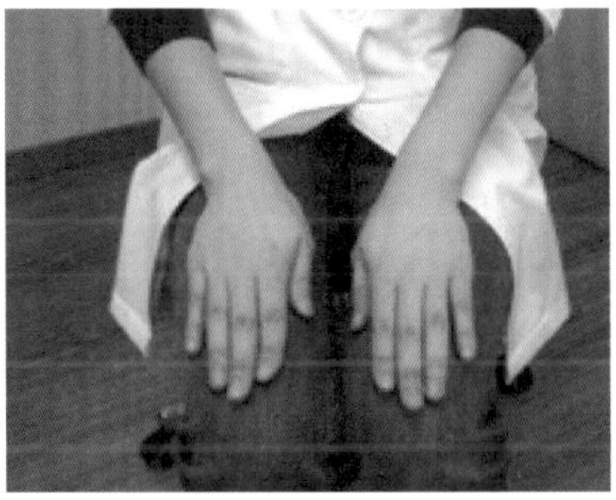

무릎치기 1번

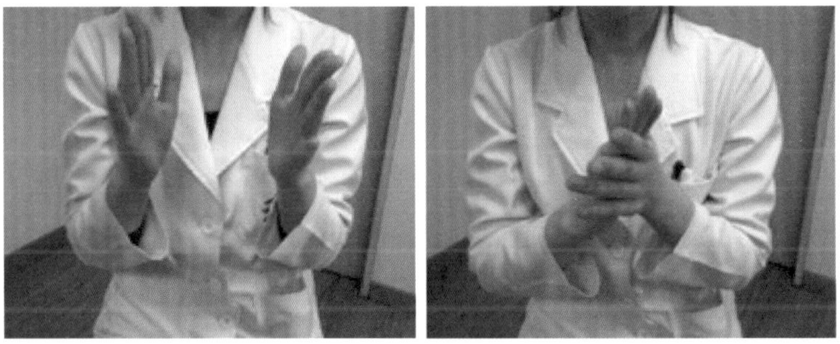

손뼉치기 2번

다른 노래로도 두뇌 체조를 할 수 있습니다. 온 가족이 함께 부르면 더 좋습니다.

도라지 타령

도라지 도라지 백도라지
심심산천에 백도라지
한두 뿌리만 캐어도
대바구니로 반실만 되노나
에헤요 에헤요 에헤애야
어려라 난다 지화자 좋다
저기 저 산 밑에 도라지가 한들한들

(**출처** 한국민속문화대백과사전)

오늘은 ________ 년 _____ 월 _____ 일 _____ 요일

무궁화

무궁화는 대한민국의 **국화**(國花)로, 8~9월에 많이 핍니다.
분홍색, 흰색, 자주색 꽃이 있습니다. 무궁화는 꽃이 아름답고,
오랜 기간 새 꽃이 끊임없이 피어 **울타리**에 많이 심습니다.

왼쪽의 설명을 읽고 아래의 빈칸에 알맞은 단어를 적어 봅시다.

1) 무궁화는 대한민국의 ☐☐ 입니다.

2) 무궁화는 꽃이 끊임없이 피어 ☐☐☐ 에 많이 심어 놓습니다.

왼쪽의 그림을 보고,
같은 색으로 예쁘게 색칠해 보세요.

이것은 무 궁 화 의 일부분을 확대하여 그린 것입니다.

위의 그림을 보고, 같은 색으로 예쁘게 색칠해 보세요.

1) 아래 그림에 표시된 숫자의 시작점부터 순서대로 선을 이어 가면서 그림을 완성해 봅시다.

2) 완성된 그림을 원하는 색으로 칠해 봅시다.

3) 지금 완성한 꽃은 무 궁 화 입니다.

← 가 시작점입니다.

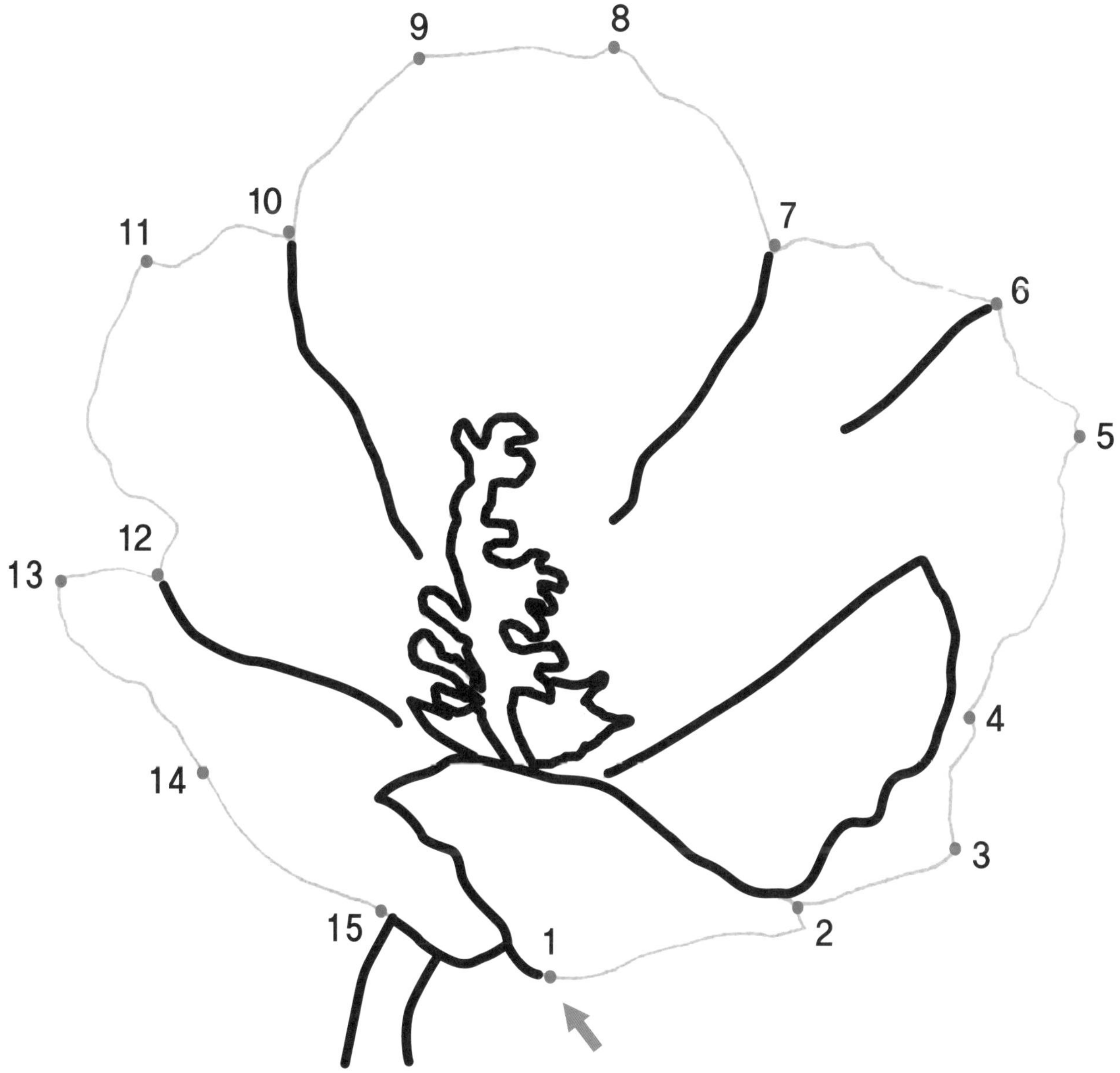

기억력 다지기

○ 앞에서 그린 꽃잎과 줄기(42페이지)에는 어떤 색깔이 들어갔나요?

색 색

○ 해당되는 색을 찾아 동그라미 쳐보세요.

ㅁ	ㅕ	ㅜ	ㅗ	ㄱ	ㅜ	ㅇ	ㄹ	ㅎ	ㅂ	ㅘ	ㅓ

○ 위에서 동그라미 친 색 안에 적힌 자음과 모음을 빈칸에 적어 보세요.

○ 위에서 적은 자음과 모음을 모아 단어를 완성해 보세요.

○ 아래 질문을 읽고 적절한 답을 적어주세요.

• 우리나라 국화는?

• 우리나라 국가는?

• 우리나라 국기는?

• 우리나라가 해방된 날은? 월 일

치매 예방을 위한 생활의 지혜

1. 가족 앨범을 보면서 추억을 이야기해 보세요.

일주일에 한 번 어르신과 옛날 사진(자녀 돌 사진, 결혼 기념 사진, 가족사진)을 보면서 사진 속 인물에 대해 이야기 나눠 보세요.

2. 초급자용 퍼즐을 맞춰 보세요.

일주일에 두 번 간단한 퍼즐판을 보여 주며 그림을 기억하도록 시간을 준 뒤 퍼즐을 섞은 다음 완성할 수 있도록 합니다.
이때 천천히 하실 수 있도록 재촉하지 말고 기다려 줍니다.
또한 정확하게 그림을 완성하셨을 땐 "잘 맞추셨네요" 하고 칭찬해 주시고, 퍼즐 맞추기를 어려워 하시면 "같이 한번 맞추어 볼까요?" 하면서 번갈아 하나씩 맞춰 함께 완성합니다.

3. 꼭 기억해야 할 것은 노래로 만들어 불러 보세요.

친숙한 노래의 가사를 집주소나, 전화번호로 바꿔서 매일 여러 차례 불러 주시고 어르신도 자연스럽게 따라 부르도록 합니다. 주민 등록 번호와 나이, 자녀의 이름 등 신변 정보를 노래로 만들어 재미있게 부르면 자연스럽게 기억하게 됩니다.
공부처럼 하기보다는 일상생활 중에 자주 흥얼거리는 음을 사용하는 게 좋습니다.

오늘은 ________ 년 _____ 월 _____ 일 _____ 요일

연꽃

연꽃은 물 속에 살면서 물위에서 잎과 꽃을 피우는 수중 식물입니다.
7~8월에 연분홍색이나 흰색 꽃이 피는데, 연꽃은 **오전**에 활짝 피었다가 **오후**에 오므라드는 특징이 있습니다. 연꽃은 물 아래 진흙에 뿌리를 두고 있는데, 이것이 바로 **연근**입니다.

왼쪽의 설명을 읽고 아래의 빈칸에 알맞은 단어를 적어 봅시다.

1) 연꽃은 ☐☐ 에 피었다가 ☐☐ 에 오므라듭니다.

2) 연꽃의 뿌리는 ☐☐ 입니다.

왼쪽의 그림을 보고,
같은 색으로 예쁘게 색칠해 보세요.

이것은 연 꽃 의 일부분을 확대하여 그린 것입니다.

위의 그림을 보고, 같은 색으로 예쁘게 색칠해 보세요.

1) 아래 그림에 표시된 숫자의 시작점부터 순서대로 선을 이어 가면서 그림을 완성해 봅시다.

2) 완성된 그림을 원하는 색으로 칠해 봅시다.

3) 지금 완성한 꽃은 연 꽃 입니다.

가 시작점입니다.

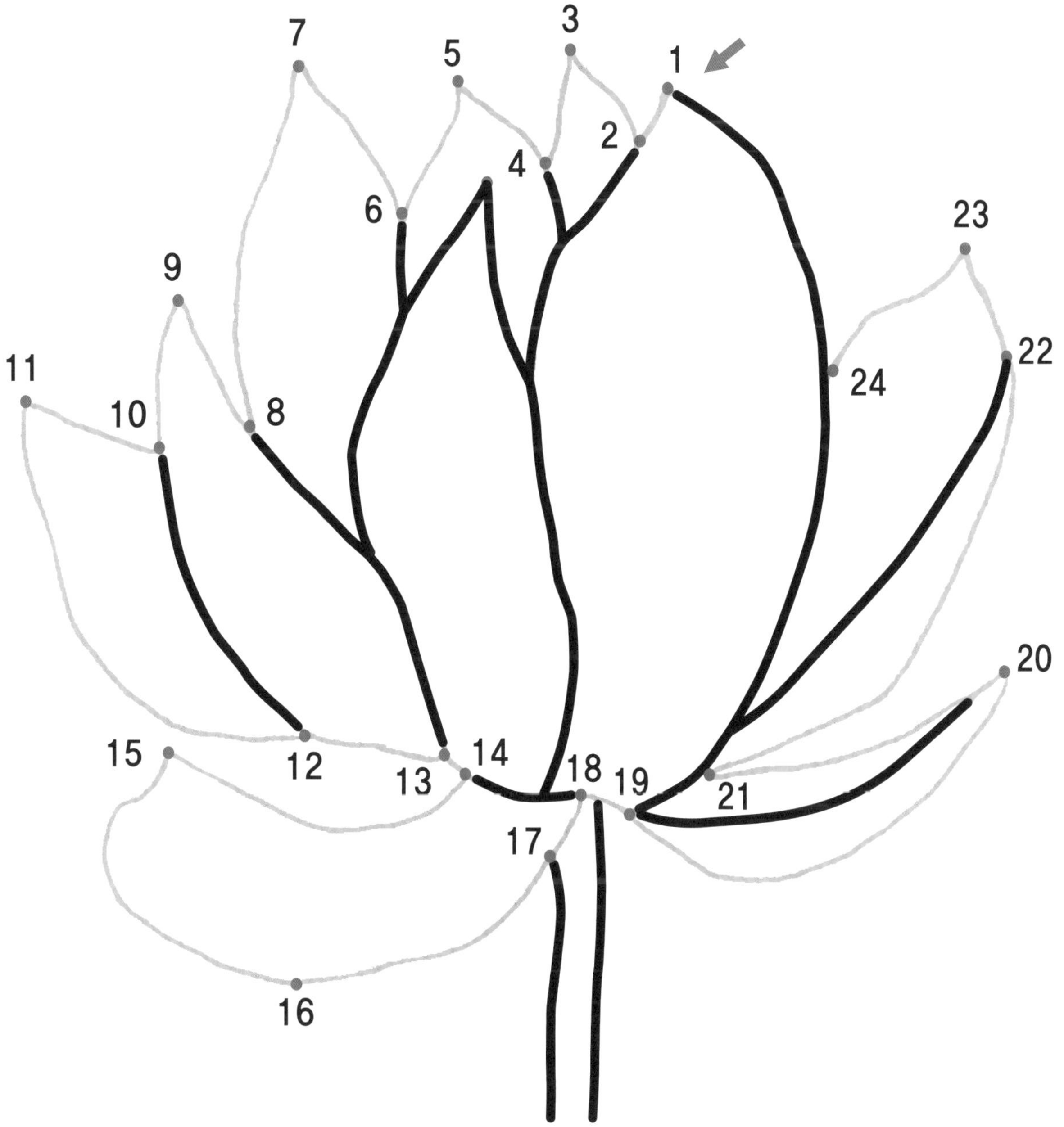

기억력 다지기

○ 앞에서 그린 꽃잎과 줄기(48페이지)에는 어떤 색깔이 들어갔나요?

색 색

○ 해당되는 색을 찾아 동그라미 쳐보세요.

ㅁ	ㅇ	ㅜ	ㅕ	ㄱ	ㄴ	ㅇ	ㄲ	ㅎ	ㅗ	ㅘ	ㅊ

○ 위에서 동그라미 친 색 안에 적힌 자음과 모음을 빈칸에 적어 보세요.

○ 위에서 적은 자음과 모음을 모아 단어를 완성해 보세요.

○ 연꽃의 뿌리는 연근입니다. 이와 같이 뿌리를 먹는 식물을 3개 이상 써 봅시다.

치매 예방을 위한 손 운동법

1

깍지를 끼고 오른쪽 손가락으로는 왼쪽 손등을 지긋이 눌러 주며 왼쪽 손가락은 기지개를 하는 것처럼 쭉 펴 스트레칭을 합니다. 다음에는 왼쪽 손가락으로 오른쪽 손등을 지긋이 누르고, 오른쪽 손가락은 쭉 펴 스트레칭을 합니다.

2

왼쪽 손은 주먹을 쥐고 새끼손가락만 펴고, 오른쪽 손은 주먹을 쥐고 엄지손가락만 펍니다. 다음에는 왼쪽 손은 엄지손가락을 펴고, 오른쪽 손은 새끼손가락만 펍니다. 익숙해지면 계속 번갈아 가며 운동합니다.

3

오른쪽 손은 주먹을 쥐고, 동시에 왼쪽 손은 활짝 펍니다. 이 동작을 번갈아 가며 반복합니다. 하루에 20회, 40회, 60회,100회씩 차츰 횟수를 늘려 갑니다.

효과 교차 운동은 뇌세포를 자극하는 운동입니다. 특히 전두엽이 많이 자극되는데, 전두엽은 기억을 바깥으로 내보내는 역할을 하고, 계획력과 수행능력, 또 감정 조절 능력과 사회성을 관장하기 때문에 교차 운동을 자주 하면 치매 예방에 도움이 됩니다.

오늘은 ________ 년 _____ 월 _____ 일 _____ 요일

용담

용담은 8~10월에 피는 **자주색**, **보라색** 꽃입니다.
수염처럼 생긴 용담 뿌리는 **위**를 보호하는 약으로 사용됩니다.

왼쪽의 설명을 읽고 아래의 빈칸에 알맞은 단어를 적어 봅시다.

1) 용담은 □□ 색, □□ 색 꽃이 핍니다.

2) 용담의 뿌리는 □ 를 보호하는 약재로 사용됩니다.

왼쪽의 그림을 보고,
같은 색으로 예쁘게 색칠해 보세요.

이것은 용 담 의 일부분을 확대하여 그린 것입니다.

위의 그림을 보고, 같은 색으로 예쁘게 색칠해 보세요.

1) 아래 그림에 표시된 숫자의 시작점부터 순서대로 선을 이어 가면서 그림을 완성해 봅시다.

2) 완성된 그림을 원하는 색으로 칠해 봅시다.

3) 지금 완성한 꽃은 용 담 입니다.

← 가 시작점입니다.

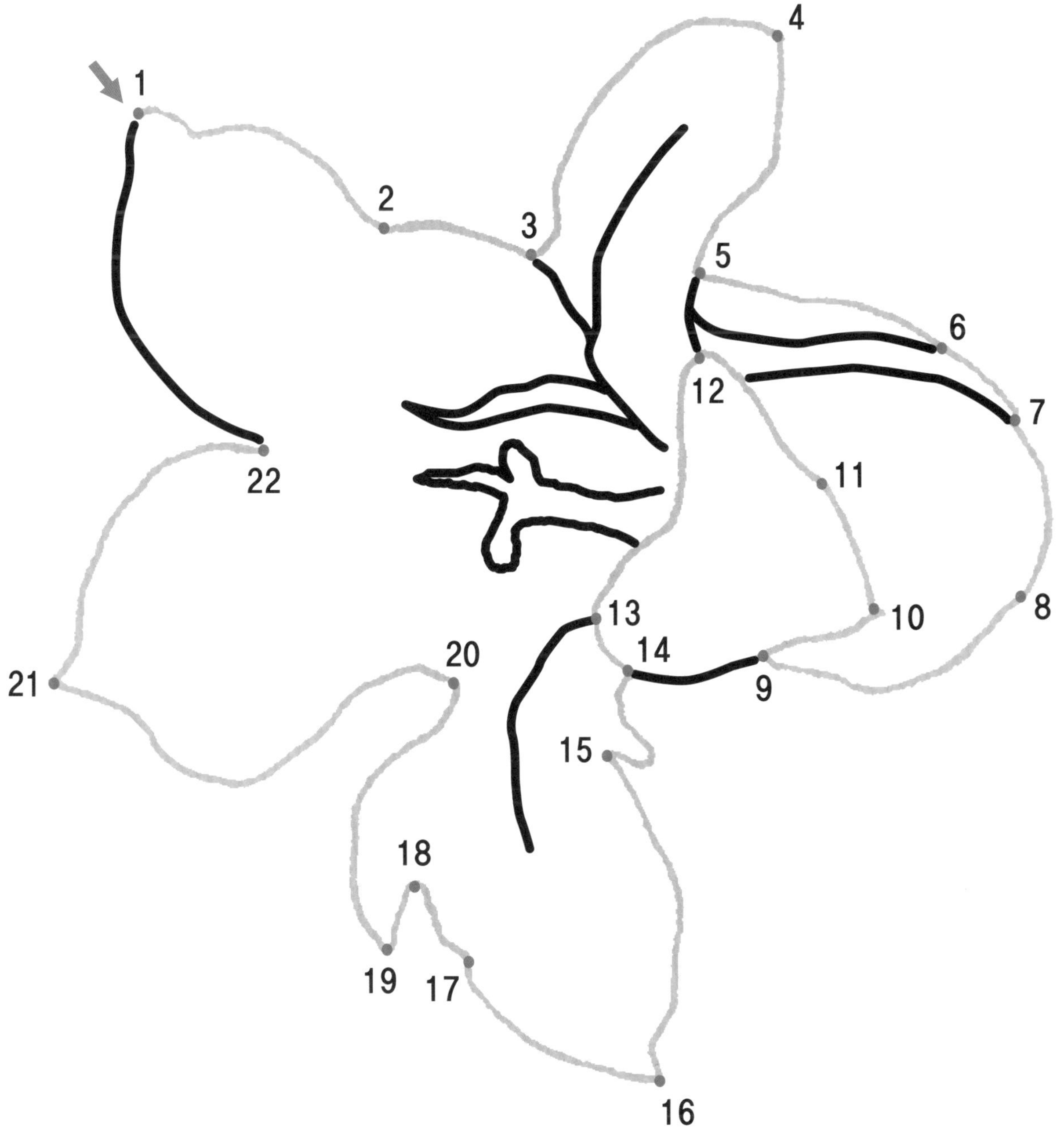

기억력 다지기

○ 앞에서 그린 꽃잎과 줄기(54페이지)에는 어떤 색깔이 들어갔나요?

______ 색　　______ 색

○ 해당되는 색을 찾아 동그라미 쳐보세요.

ㅇ	ㅛ	ㅅ	ㅗ	ㅇ	ㅜ	ㅅ	ㄷ	ㅏ	ㅂ	ㅁ	ㅓ

○ 위에서 동그라미 친 색 안에 적힌 자음과 모음을 빈칸에 적어 보세요.

○ 위에서 적은 자음과 모음을 모아 단어를 완성해 보세요.

○ 위에 좋은 음식을 3개 이상 써 보세요.

생각 이어 가기

치매 예방을 위해 장아찌처럼 뇌세포에 기억을 박아 놓는 말

참! 참! 참!

1. 참 예쁘네! (참 멋있네!)
2. 참 잘했어 !
3. 참 고마워 !
4. 참 맛있네 !

- **매일 3번씩 가족의 얼굴을 바라보며 참!참!참! 표현을 해 보세요.**

매일매일 긍정적인 생각과 표현을 뇌세포 안에 장아찌처럼 박아 놓는 습관은 치매를 예방하는 지름길입니다.

오늘은 ________ 년 _____ 월 _____ 일 _____ 요일

나팔꽃

나팔꽃은 줄기가 길게 뻗어 다른 식물이나 물체를 감아 오르는 **덩굴** 식물입니다.
7~8월에 꽃이 피며, 빨간색, 자주색, 파란색, 흰색으로 색이 다양합니다.
나팔꽃은 **아침** 일찍 피었다가 **낮**에는 오므라들어 시드는 특징이 있습니다.

왼쪽의 설명을 읽고 아래의 빈칸에 알맞은 단어를 적어 봅시다.

1) 나팔꽃은 줄기로 다른 식물이나 물체를 감아 올라가는 ☐☐ 식물입니다.

2) 나팔꽃은 ☐☐ 일찍 피었다가 ☐ 에는 오므라들어 시듭니다.

왼쪽의 그림을 보고,
같은 색으로 예쁘게 색칠해 보세요.

이것은 나팔꽃 의 일부분을 확대하여 그린 것입니다.

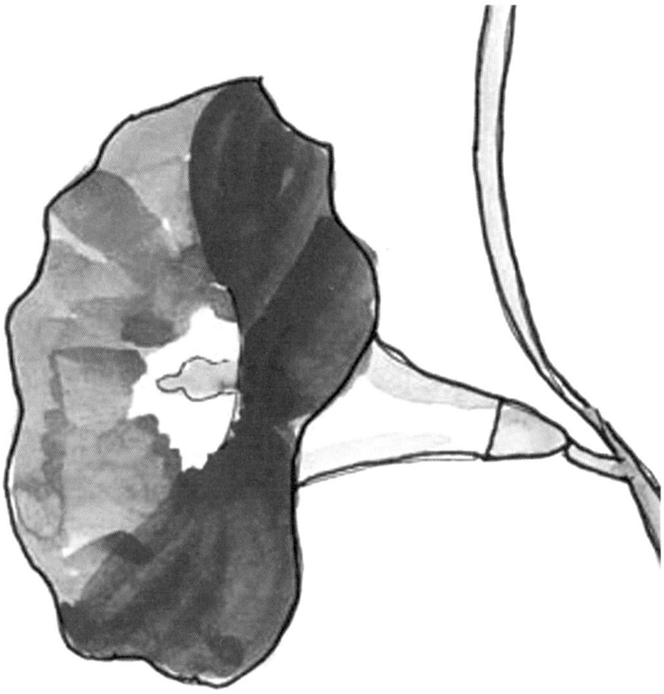

위의 그림을 보고, 같은 색으로 예쁘게 색칠해 보세요.

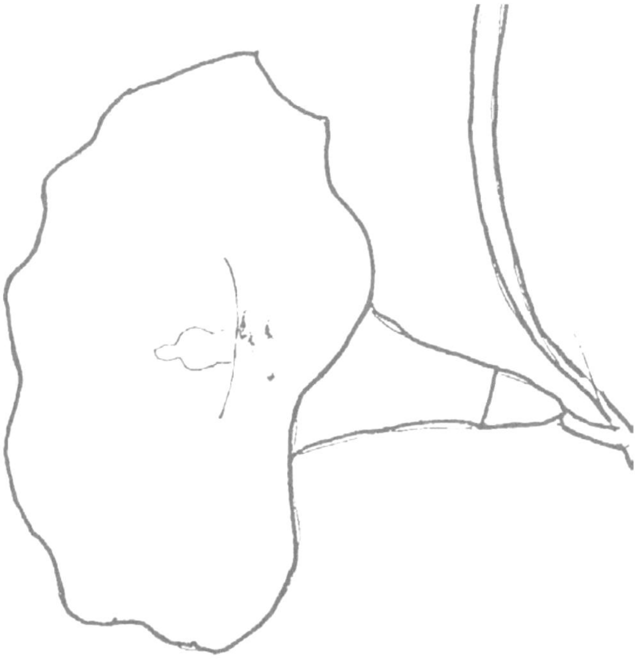

1) 아래 그림에 표시된 숫자의 시작점부터 순서대로 선을 이어 가면서 그림을 완성해 봅시다.

2) 완성된 그림을 원하는 색으로 칠해 봅시다.

3) 지금 완성한 꽃은 나 팔 꽃 입니다.

가 시작점입니다.

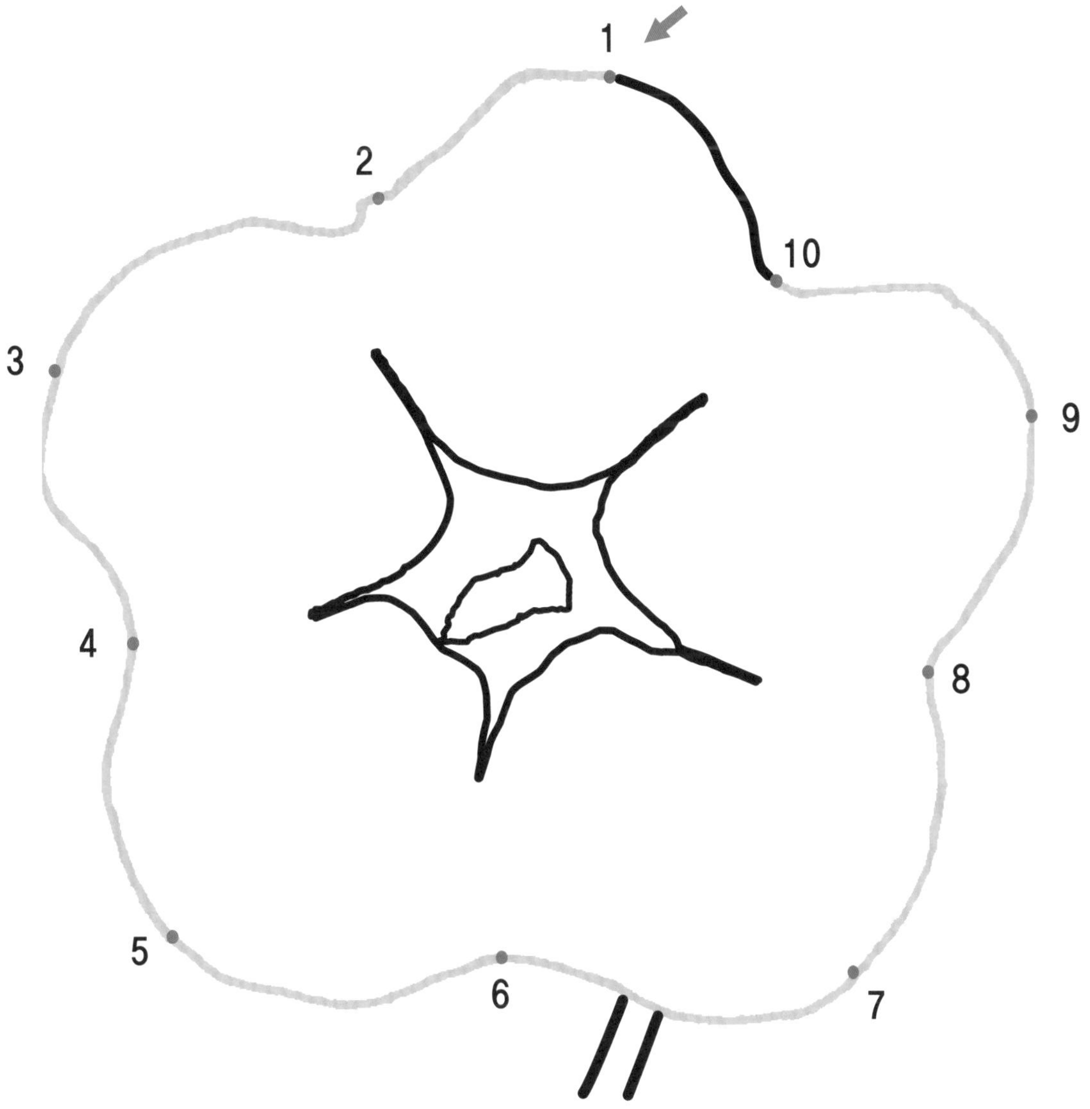

기억력 다지기

○ 앞에서 그린 꽃잎과 줄기(60페이지)에는 어떤 색깔이 들어갔나요?

색 색

○ 해당되는 색을 찾아 동그라미 쳐보세요.

ㄴ	ㅃ	ㅏ	ㅍ	ㅟ	ㅏ	ㄸ	ㄹ	ㄲ	ㅗ	ㄷ	ㅊ

○ 위에서 동그라미 친 색 안에 적힌 자음과 모음을 빈칸에 적어 보세요.

○ 위에서 적은 자음과 모음을 모아 단어를 완성해 보세요.

○ 좋아하는 악기를 3개 이상 적어 보세요.

치매 예방을 위한 손 운동법

1

손가락을 쭉 펴서, 양손의 손가락 끝이 만나도록 가볍게 톡톡톡 칩니다. 50번 정도 반복합니다.

2

손가락과 손가락이 맞붙도록 50번 반복합니다.

3

손바닥을 마주 대고 손뼉을 칩니다. 손뼉치기는 강도를 약하게, 강하게 조절해서 50번 정도 반복합니다.

4

손등을 마주대고 50번 정도 손등치기를 합니다.

5

손목과 손목이 맞닿게 50번 정도 손목치기를 합니다.

6

손 운동이 익숙해지면, 좋아하는 노래를 부르면서 운동을 이어 하면 좋습니다.

예) 동요나, 신나는 트로트 노래를 불러도 좋고, 구구단 외우기, 또는 100에서 1까지 거꾸로 소리 내어 말하면서 손 운동을 해도 좋습니다.

오늘은 ________ 년 _____ 월 _____ 일 _____ 요일

국화

국화는 대표적인 **가을**꽃입니다.
주로 9~10월에 피는 국화는 노란색, 빨간색, 자주색, 흰색 등 여러 가지 색이며, 꽃의 크기도 다양합니다. 향기가 좋아 꽃을 말려 **베개**에 넣거나, 차나 술로 먹기도 합니다.

왼쪽의 설명을 읽고 아래의 빈칸에 알맞은 단어를 적어 봅시다.

1) 국화는 대표적인 ☐☐ 꽃입니다.

2) 국화는 향기가 좋아 꽃을 말려 ☐☐ 에 넣어 사용하기도 합니다.

왼쪽의 그림을 보고,
같은 색으로 예쁘게 색칠해 보세요.

이것은 국 화 의 일부분을 확대하여 그린 것입니다.

위의 그림을 보고, 같은 색으로 예쁘게 색칠해 보세요.

1) 아래 그림에 표시된 숫자의 시작점부터 순서대로 선을 이어 가면서 그림을 완성해 봅시다.

2) 완성된 그림을 원하는 색으로 칠해 봅시다.

3) 지금 완성한 꽃은 국 화 입니다.

가 시작점입니다.

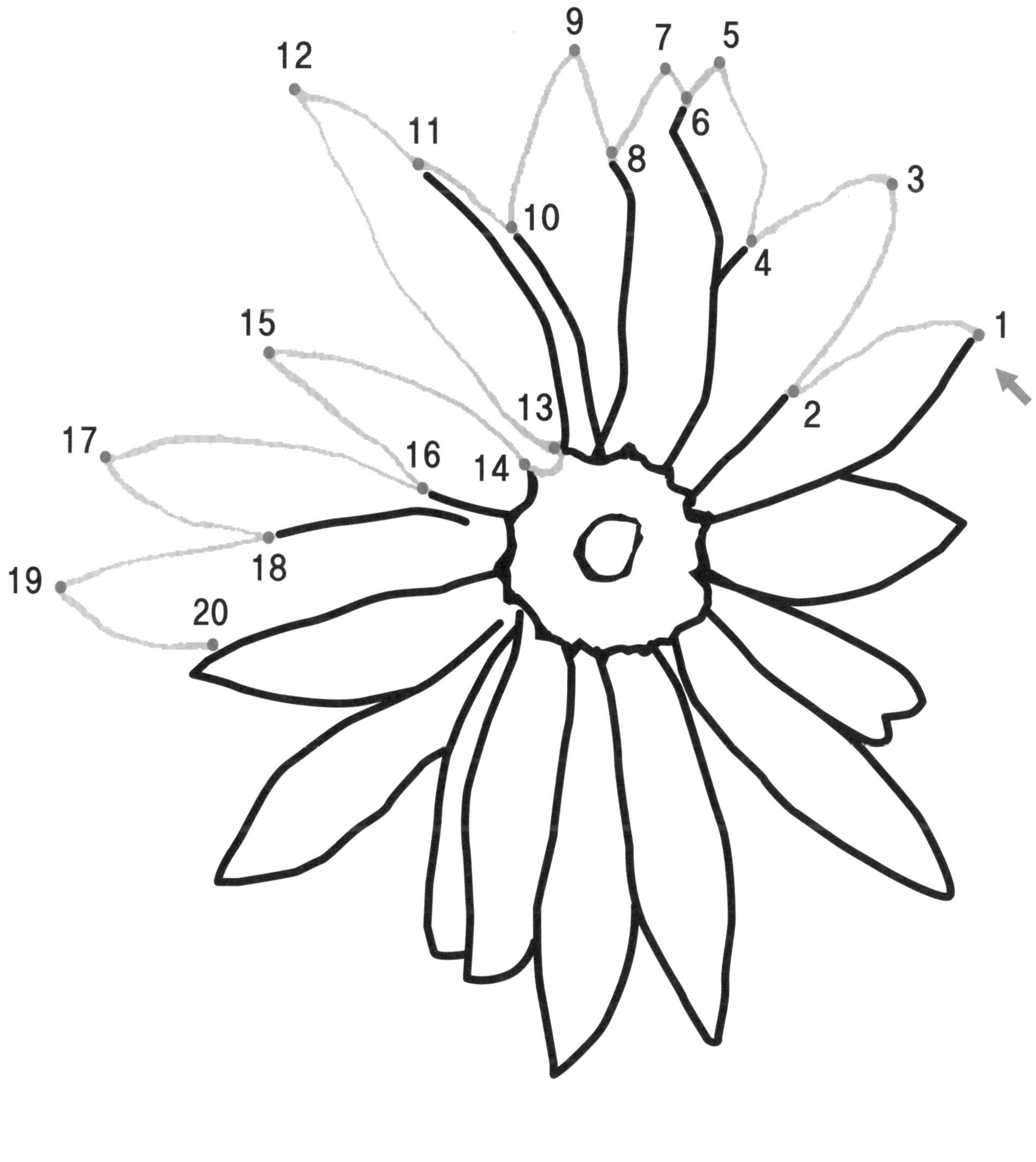

기억력 다지기

○ 앞에서 그린 꽃잎과 줄기(66페이지)에는 어떤 색깔이 들어갔나요?

............색 ....색 ....색

○ 해당되는 색을 찾아 동그라미 쳐보세요.

ㄱ	ㅡ	ㅜ	ㅅ	ㄱ	ㄴ	ㅎ	ㅕ	ㅘ	ㅛ

○ 위에서 동그라미 친 색 안에 적힌 자음과 모음을 빈칸에 적어 보세요.

○ 위에서 적은 자음과 모음을 모아 단어를 완성해 보세요.

○ 사군자를 줄여서 '매란국죽'이라고 부릅니다. 각각에 해당되는 식물 이름을 적어 봅시다.

매 : .... 국 : ....

란(난) : .... 죽 : ....

생각 이어 가기

서시

윤동주

죽는 날까지 하늘을 우러러
한 점 부끄럼이 없기를

잎새에 이는 바람에도
나는 괴로워했다.

별을 노래하는 마음으로
모든 죽어가는 것을 사랑해야지

그리고 나한테 주어진 길을
걸어가야겠다.

오늘 밤에도 별이 바람에 스치운다.

윤동주 시인이 쓴 '서시'입니다. 천천히 시를 낭송해 보세요. 가장 마음에 드는 구절에 밑줄을 긋고 다시 한 번 낭송해 보세요.

1회 낭독할 때마다 아래 칸에 ○표시 해주세요.

1회 ☐ 2회 ☐ 3회 ☐

구절초

오늘은 ________ 년 _____ 월 _____ 일 _____ 요일

9~11월에 피는 구절초는 줄기 끝에 **흰**색이나 **보라**색의 꽃이 한 송이씩 핍니다.
음력 9월 9일에 채집해 약으로 쓰면 좋아 '구절초'라는 이름이 붙여졌다고도 하고,
9개의 **마디**가 있어서 이름 붙여졌다고도 해요.

왼쪽의 설명을 읽고 아래의 빈칸에 알맞은 단어를 적어 봅시다.

1) 구절초는 줄기 끝에 ☐ 색이나 ☐☐ 색의 꽃이 한 송이씩 핍니다.

2) 구절초는 9개의 ☐☐ 가 있어 붙여진 이름입니다.

왼쪽의 그림을 보고,
같은 색으로 예쁘게 색칠해 보세요.

이것은 구절초 의 일부분을 확대하여 그린 것입니다.

위의 그림을 보고, 같은 색으로 예쁘게 색칠해 보세요.

1) 아래 그림에 표시된 숫자의 시작점부터 순서대로 선을 이어 가면서 그림을 완성해 봅시다.

2) 완성된 그림을 원하는 색으로 칠해 봅시다.

3) 지금 완성한 꽃은 구 절 초 입니다.

← 가 시작점입니다.

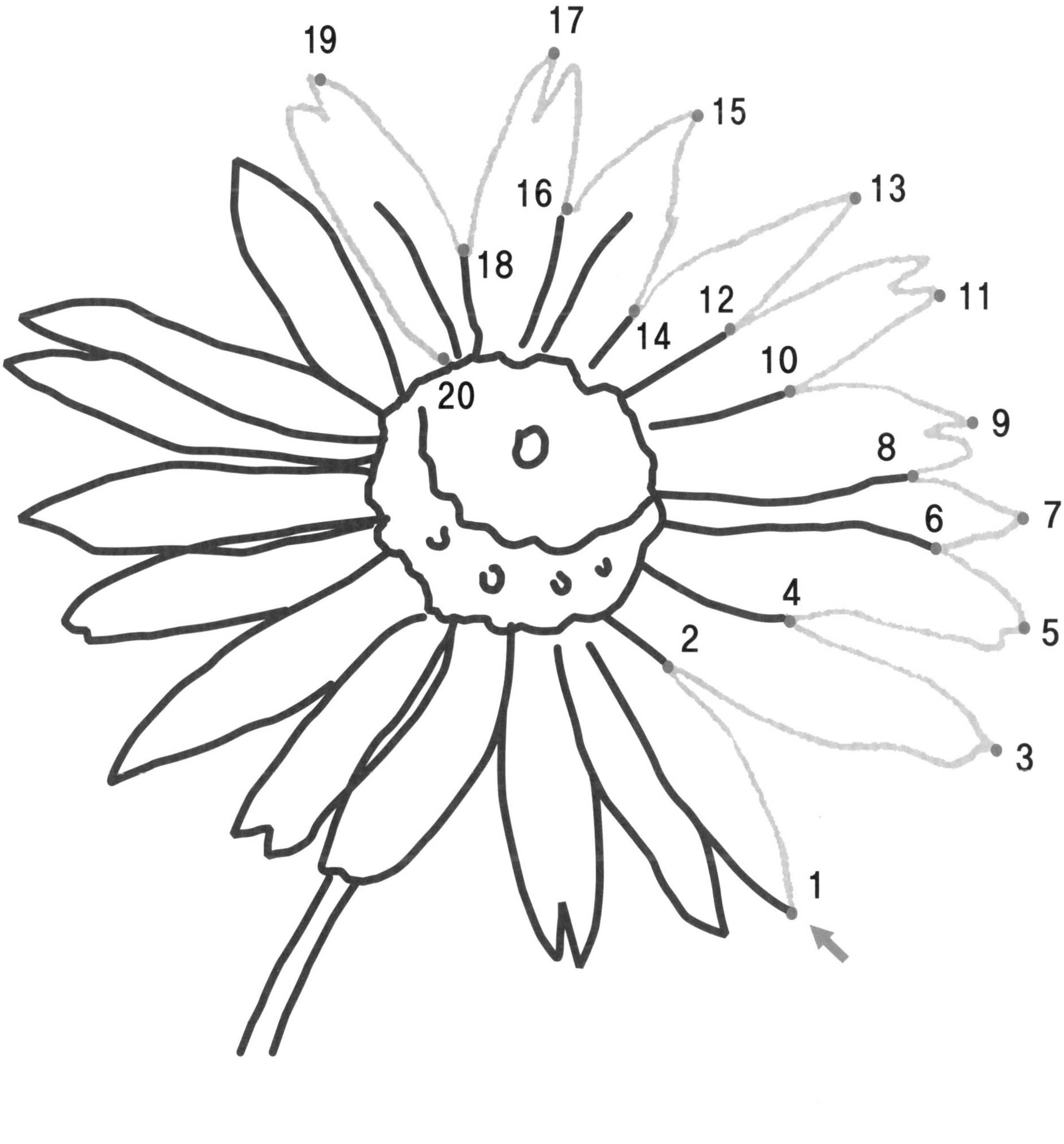

기억력 다지기

○ 앞에서 그린 꽃잎과 줄기(72페이지)에는 어떤 색깔이 들어갔나요?

색 색 색

○ 해당되는 색을 찾아 동그라미 쳐보세요.

ㄱ	ㅜ	ㅣ	ㅈ	ㅟ	ㅓ	ㄴ	ㅑ	ㄹ	ㅊ	ㄷ	ㅗ

○ 위에서 동그라미 친 색 안에 적힌 자음과 모음을 빈칸에 적어보세요.

○ 위에서 적은 자음과 모음을 모아 단어를 완성해 보세요.

○ 구구단을 외워 봅시다. 흥겹게 리듬에 맞추어 반복적으로 소리 내어 암송하는 습관은 기억력 향상에 도움이 됩니다.

예) 구구단 2단을 외워 봅시다. 예를 들어 2X1=2, 2X2=4…

생각 이어 가기

사랑하는 까닭

한용운

까닭이 없는 것이 아닙니다
다른 사람들은 나의 홍안만을 사랑하지마는
당신은 나의 백발도 사랑하는 까닭입니다

내가 당신을 그리워하는 것은
까닭이 없는 것이 아닙니다
다른 사람들은 나의 미소만을 사랑하지마는
당신은 나의 눈물도 사랑하는 까닭입니다

내가 당신을 기다리는 것은
까닭이 없는 것이 아닙니다
다른 사람들은 나의 건강만을 사랑하지마는
당신은 나의 죽음도 사랑하는 까닭입니다

한용운 시인이 쓴 '사랑하는 까닭'이라는 시입니다. 천천히 시를 낭송해보세요. 가장 마음에 드는 구절에 밑줄을 긋고 다시 한 번 낭송해 보세요.

1회 낭녹할 때마다 아래 칸에 ○표시 해주세요.

1회 ☐ 2회 ☐ 3회 ☐

오늘은 ________ 년 _____ 월 _____ 일 _____ 요일

동백

동백은 동백나무의 꽃으로, 1월~4월까지 핍니다. 꽃이 진 후 달리는 열매 속의 짙은 갈색 씨는 짜서 기름으로 만들어 **등불**을 켜거나 **머릿기름**으로 사용했다고 합니다. 동백꽃은 **향기**는 없지만 색이 아름다워 **새**가 좋아한다고 합니다.

왼쪽의 설명을 읽고 아래의 빈칸에 알맞은 단어를 적어 봅시다.

1) 동백나무 씨 기름은 □□ 을 켜거나 □□□□ 으로 사용했습니다.

2) 동백꽃은 □□ 는 없지만 색이 아름다워 □ 가 좋아한다고 합니다.

왼쪽의 그림을 보고,
같은 색으로 예쁘게 색칠해 보세요.

이것은 동 백 의 일부분을 확대하여 그린 것입니다.

위의 그림을 보고, 같은 색으로 예쁘게 색칠해 보세요.

1) 아래 그림에 표시된 숫자의 시작점부터 순서대로 선을 이어 가면서 그림을 완성해 봅시다.

2) 완성된 그림을 원하는 색으로 칠해 봅시다.

3) 지금 완성한 꽃은 동 백 입니다.

← 가 시작점입니다.

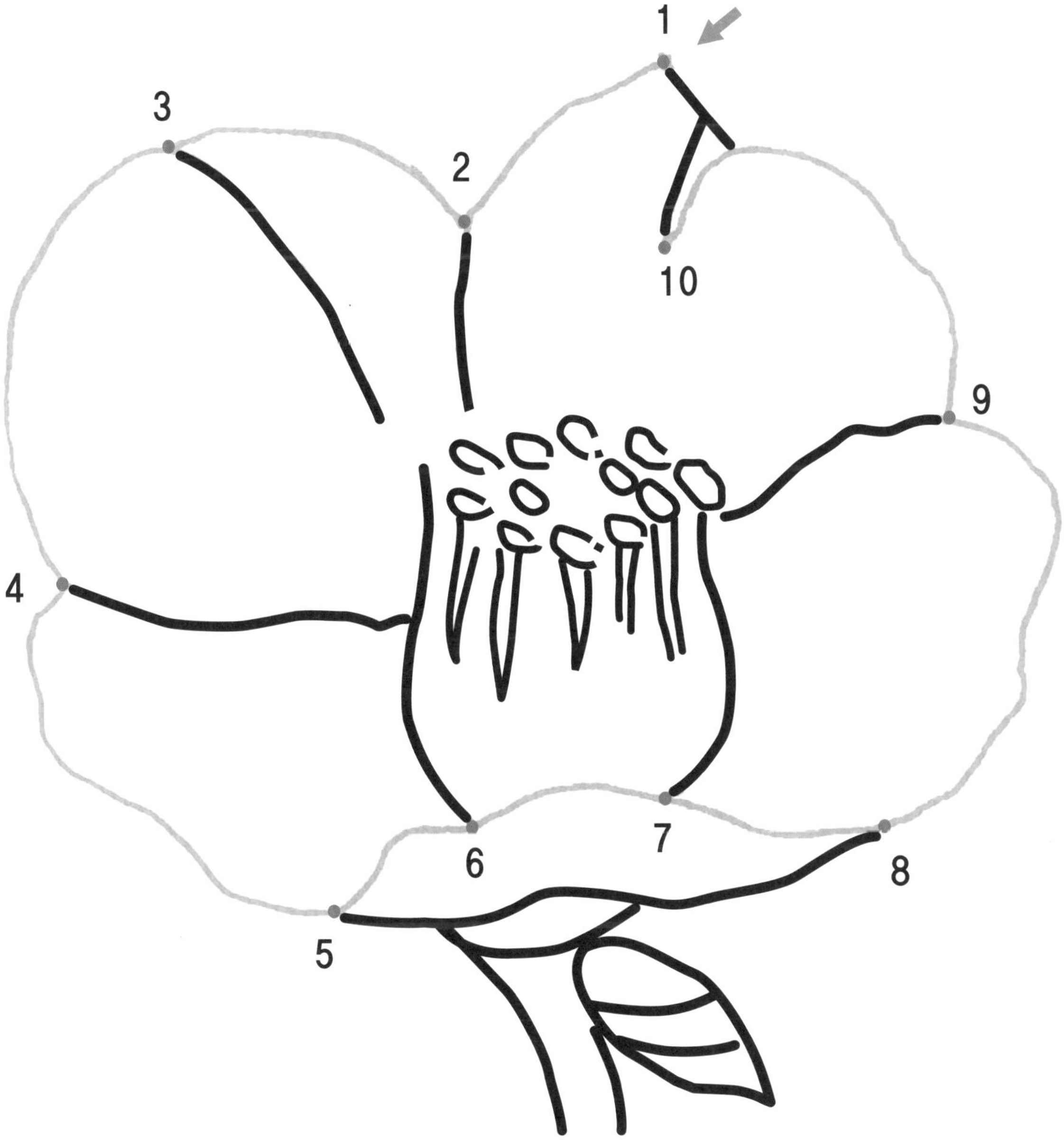

기억력 다지기

○ 앞에서 그린 꽃잎과 줄기(78페이지)에는 어떤 색깔이 들어갔나요?

색 색 색

○ 해당되는 색을 찾아 동그라미 쳐보세요.

ㄷ	ㅗ	ㅏ	ㅇ	ㅂ	ㅐ	ㄱ	ㅅ

○ 위에서 동그라미 친 색 안에 적힌 자음과 모음을 빈칸에 적어 보세요.

○ 위에서 적은 자음과 모음을 모아 단어를 완성해 보세요.

○ 부산에는 동백섬이 있어요. 알고 있는 우리나라의 섬 이름을 5개 이상 적어 보세요.

생각 이어 가기

노래를 부르며 두뇌 체조를 해 봅시다.
무릎치기와 발 구르기, 손뼉치기를 번갈아 반복해 보세요.

두뇌 체조

❶

무릎치기

❷
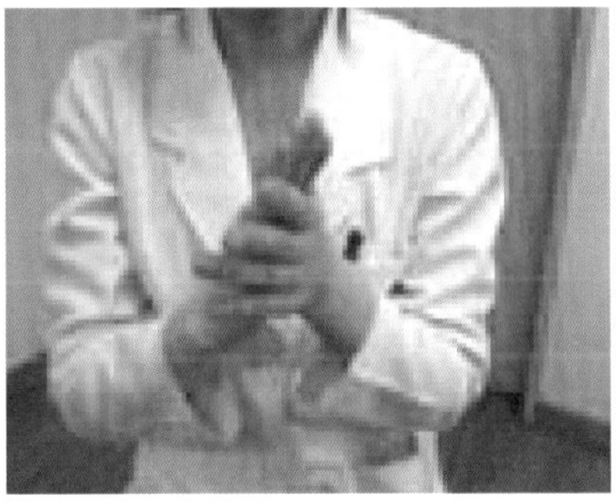
손뼉치기

❸

발 구르기

❹
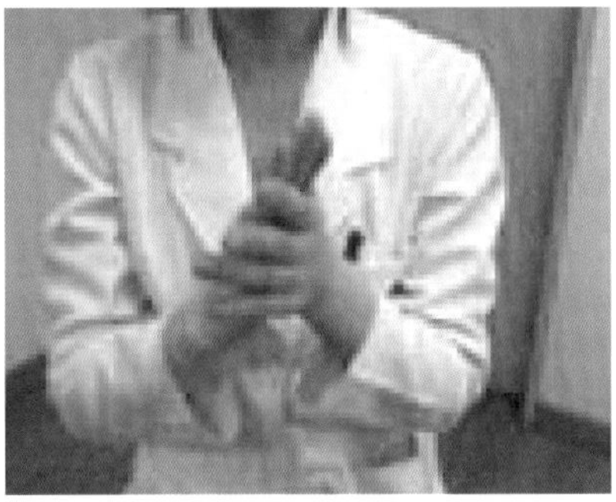
손뼉치기

처음에는 '무릎치기-손뼉치기-발 구르기-손뼉치기'를 반복해 연습한 후
익숙해지면 다양하게 두뇌 체조를 변형하여 박자에 맞춰 노래를 불러 봅시다.

이은아 신경과 전문의, 신경과학 의학박사, 해븐리병원장

전공의 시절 행동 신경학을 배우면서, 뇌와 사람의 행동에 대해서 관심 갖게 되었다. '하늘 아래 처음 보는 병은 없다. 의사가 못 찾은 것일 뿐'이라는 스승의 가르침을 평생 마음에 새기고 환자를 끝까지 포기하지 않는 마음으로 진료하고 있다. 2008년 환자를 위해 마음껏 진료할 수 있는 병원, 천국 같은 하늘 마을, 해븐리병원을 개원했다. '병을 치료하는 것이 아니라, 치매 환자의 삶을 치료하는 것'임을 깨닫고, 때론 치매 환자와 함께 먹고 자고 생활하면서 다양한 방법으로 치료를 시도해 왔다. 치매 환자와 가족들은 그를 '치매 분야의 야전 사령관'이라 부른다. 특히 치매 환자들의 뇌기능을 회복하기 위해, 아직 치매로 진행되지 않은 경도인지장애 분들의 뇌를 자극하기 위해 꼭 필요한 활동을 모아 이 책을 만들었다. 실제 병원에서 환자들의 치료에 사용하면서 긍정적인 효과를 많이 경험했다. '치매는 치료가 안 된다'는 선입견과 의학적 지식의 틀을 깨고 '치매도 치료할 수 있다. 예방하고 평생 관리하는 병이다!'라는 것을 이 치료들을 통해서 증명했다.

그림 **유진선**

조선대학교 미술대학 회화과를 졸업하고, 서양화가로 꾸준한 활동을 하고 있다. 4회의 개인전과 한·일 미술교류전, 한·독 현대미술초대전, 유럽 4개국 순회전 등 해외 초대전과 100여 회 이상의 국내 단체전에 참여했다. 지금은 그림을 사랑하는 사람들에게 가르침을 주고 있다.

백년 뇌를 위한

재미있는 두뇌 운동 초급편

초판 1쇄 발행 2021년 4월 26일
초판 3쇄 발행 2023년 10월 18일

지은이 이은아
그림 유진선
펴낸이 이범상
펴낸곳 (주)비전비엔피·이덴슬리벨

기획 편집 이경원 차재호 정락정 김승희 박성아 신은정
디자인 최원영 허정수
마케팅 이성호 이병준
전자책 김성화 김희정 안상희
관리 이다정

주소 우)04034 서울특별시 마포구 잔다리로7길 12 (서교동)
전화 02) 338-2411 | 팩스 02) 338-2413
홈페이지 www.visionbp.co.kr
이메일 visioncorea@naver.com
원고투고 editor@visionbp.co.kr

등록번호 제2009-000096호

ISBN 979-11-88053-70-4

- 값은 뒤표지에 있습니다.
- 잘못된 책은 구입하신 서점에서 바꿔드립니다.